中国が世界を牛耳る100の分野

日本はどう対応すべきか

高橋五郎

光文社新書

はじめに

2049年10月1日、中国・北京《ペキン》の天安門広場は50万人以上の大群衆で埋まり、天安門楼上《ろうじょう》に居並ぶ指導者を従えた国家主席は国家樹立100年を高らかに宣言。祝辞の最初の一節で、あらゆる分野で中国が世界一の国となったことを力説した——。

様々な図書・資料や現実の動きを分析すると、中国は確かな足取りで、未来の祝辞通りの2049年に向かっているといえそうだ。大多数の日本人は信じないかもしれないし、信じたくないかもしれないが、中国は外交・経済・科学技術・軍事など多くの分野で、日米欧の各国を抜いて世界制覇を果たし、あるいは間もなく制覇しようとしているのである。

中国はなぜここまで力量をつけることができたのか。その理由は、1978年の改革開放以来一貫した国力増強路線、「中国復興の夢」を掲げる習近平主席の号令1つで動く統合力、批判派の排除、親中の国家を世界中に張りめぐらす外交エネルギー、豊富な財政力、競争主義に徹する豊富な人的資本、安価に調達できる多数の希少資源、無尽蔵に近い国内外の消費市場、世界中に切り開いた投資・貿易網、世界一の外貨準備と巨額の対外・対内直接投資など、他国を寄せつけない力である。こうした力を駆使して、中国は革命１００年（２０４９年）までに、あらゆる分野で世界制覇することを目指しているのである。

本書には主に３つの論点がある。第１の論点（第１部）は、「２０５０年に我が国は世界の超大国になる」と宣言した習近平主席率いる中国とアメリカとの間で２０１８年頃から始まった激しい対立でどちらが勝利するかである。この対立は、アメリカが中国は民主主義政治、自由、人権尊重を侵していると非難し、それに対して中国がアメリカは自国式の統治を押しつけ、内政干渉を行い、民族自決を侵していると反論したことで、政治体制を賭けた対立に発展した。

その決着は、戦争のようには白黒がはっきりせず、今後もだらだらした状態が続くだろう。しかし、次に示す第２と第３の論点を冷静に紐解いていくと、勝利の女神がほほ笑むのは中国であろうと推測できる。

第２の論点（第２部）は、国際社会と関係のある分野のうち、中国が「世界制覇」を達成した、もしくは今後達成する可能性の高い分野は何か、そしてそれぞれがどんな意味を持っているかである。

本書では、そんな分野として100の項目を挙げた（図表P‐1）。選んだ基準は、定性的には中国以外に世界にはないこと、定量的には世界一の数値であることだ。いずれも国際社会に大きな影響を与える要素を持つことを考慮した。具体的には、外交力（親中派国家の形成）、経済規模拡大（GDP）、国際特許権の圧倒、自然科学論文数、宇宙開発力・第4世代半導体・量子コンピュータなどの先端技術力、軍事力の拡張、在外閩閥《けいばつ》（華僑・華人）の活用などで、どれも日本をはじめ、世界のあり方や進むべき方向を左右する分野である。

遅くとも中国革命100年の2049年までに、中国は100の分野のすべてを掌中に収め、さらに新しい分野で世界制覇を成し遂げようとするだろう。これでかの国は「3つの100」、すなわち中国共産党創立100年（2021年）、新中国成立100年（2049年）、世界制覇100分野を手にすることになる。

最後の論点（第3部）は、中国が世界制覇、あるいはその過程で起こる中米間の対立によって、最も強い影響を受けるであろう日本はどうすべきなのかという現実的な問題を提起し、その対応を提案することである。

図表P-1　中国が世界一となった分野（2021年9月時点）

No.	競争可否*1	領域*2,*3,*4		分野*5,*6	数量	年次*7	データ出所
1	不可	総合	量	人口	約14億人	2019	中国国家統計局
2	不可	総合	性	「一帯一路」参加国	148か国	2021	中国商務省
3	独	総合	性	拡張した領海面積	約280万㎢（九断線内海）	1953	中国政府
4	独	総合	性	南シナ海人工島数	8島（さらに増設予定）	2020	防衛省
5	不可	総合	性	国際長距離客車（北京ーモスクワ）	7,826km	2020	中国交通運輸部
6	不可	総合	性	中・欧貨物列車（浙江省義烏市-マドリード）	1万3,000km（世界最長鉄道距離）	2020	中国交通運輸部
7	不可	総合	性	国際新幹線型営業線路総延長	3万5,000km	2019	中国交通運輸部
8	可	総合	量	国際発信言語別放送局数	65言語（43言語はネットで視聴可）	2021	中国国際放送局
9	独	総合	性	氷上シルクロード（東北航路・西北航路）	東北航路試験開始（中国-欧州:1万8,520㎞）	2018	中国中央テレビ局
10	不可	総合	量	総合資源埋蔵量	あらゆる鉱物資源が豊富	2020	中国自然資源部
11	不可	総合	量	海外一時出国者数	1億6,921万人	2019	中国国家統計局
12	不可	外交	性	パンダ提供相手国数（供与・貸与）	15か国	2021	中国外交部
13	可	外交	量	在外大使館数（中国大使館）	169か国	2020	Lowy Institute
14	可	外交	量	首脳の訪問外国数	71回（外務大臣以上）	2019	中国外交部
15	可	外交	量	在外女性大使数	40名	2017	中国外交部
16	可	外交	量	自国民海外留学者数	70万人（大学生等）	2019	中国教育部
17	不可	外交	量	陸の国境国	14か国	2021	ー
18	不可	外交	量	国連安保理拒否権最少発動国	加盟以来16回（単独3回）	2020	国連
19	不可	外交	量	新型コロナワクチン世界供給量	1億回分（55か国向け）	2021	吉林日報
20	不可	外交	量	海外政府派遣労働者数	62万4,000人	2019	中国国家統計局
21	不可	外交	性	資源武器外交力	主要鉱物資源世界一		ー
22	可	経済	量	EV生産台数	355万台	2021	中国自動車工業協会
23	可	経済	量	年間スマホ生産台数	17億100万台	2019	中国通信研究院
24	可	経済	量	ビッグデータ量	7.6ZB（世界の23%）	2018	IDC
25	可	経済	量	量子コンピュータ開発の先端	Google「プラタナス」の100万倍のスピード	2021	中国科技大学
26	可	経済	量	産業用ロボット販売台数	14万4,000台	2019	中国ロボット産業連盟
27	可	経済	量	ノートパソコン生産量	2億3,525万台	2020	中国国家統計局
28	可	経済	量	スーパーコンピュータ所有台数	226台	2019	トップ500

No.	競争可否*1	領域*2,*3,*4	分　野*5,*6	数　量	年次*7	データ出所
29	可	経済　量	資本効率(資本係数)	上昇率最大:20年で37%	2018	筆者
30	可	経済　量	銀行単独総資産額	中国工商銀行:566兆円	2021	中国工商銀行
31	可	経済　量	総貯蓄率(主要国中)	44.5%	2020	快易理財網
32	可	経済　量	外貨準備高	3兆2,500億ドル	2021	中国人民銀行
33	可	経済　量	対外直接投資額	1,329億ドル	2020	UNCTAD
34	可	経済　量	◆対内直接投資額	1,493億ドル	2020	UNCTAD
35	可	経済　量	対アフリカ直接投資額(2019年までの累計)	444億ドル	2019	中国国家統計局
36	可	経済　量	Eコマース市場規模	1兆8,093万ドル	2020	中国国家統計局
37	可	経済　量	造船竣工重量	3,853万トン	2020	中国船舶業分析報
38	可	経済　量	空調生産量	2億1,030万台	2020	中国国家統計局
39	可	経済　量	世界最大コンテナ取扱港	上海港:4,703万TEU	2021	中国交通運輸部
40	独	経済　量	スマホメーカー数	6社	2021	中商情報網
41	独	経済　量	総産出高	42兆ドル	2021	筆者
42	独	経済　量	◆GDP	15兆3,378億ドル(現在2位)	2020	中国国家統計局
43	独	経済　量	名目貯蓄総額	6兆7,000億ドル	2020	World Bank
44	独	経済　量	キャッシュレス利用者数(デジタル決済を含む)	7億6,500万人	2020	中商情報網
45	独	経済　量	再生エネルギー発電量	2兆179億ワット(27%)	2020	国際再生エネルギー機構
46	不可	経済　量	希少鉱物資源ー重レアアース独占	5,500万トン	2020	中国自然資源部
47	不可	経済　量	5Gスマホ出荷台数	1億6,000万台	2020	中国通信院
48	不可	経済　量	世界の5G基地局数	92万か所(世界の70%)	2021	中国人民網
49	不可	経済　量	半導体市場規模	4,694億ドル	2021	中国国家統計局
50	不可	経済　量	貿易額・中国が最大の貿易相手国	113か国(4兆5,779億ドル)	2019	中国国家統計局・IM
51	不可	経済　量	石油輸入量	5億1,298万トン	2021	中国国家統計局
52	不可	経済　量	医薬品輸出品目数	123品目	2015	厚生労働省
53	不可	経済　量	飛行機輸入量(積載2トン以上)	957機	2019	中国国家統計局
54	不可	経済　量	穀物輸入量	1億6,454万トン	2021	中国海関総署
55	不可	経済　量	大豆輸入量	9,652万トン	2021	中国海関総署
56	不可	経済　量	牛肉輸入量	212万トン	2020	中国海関総署
57	不可	経済　量	法人企業数	2,939万社	2020	中国国家統計局
58	不可	経済　量	製造業企業数	385万社	2020	中国国家統計局
59	不可	経済　量	粗鋼生産量	10億3,279万トン	2021	国家発展開発委員会

No.	競争可否[*1]	領域[*2,*3,*4]		分野[*5,*6]	数量	年次[*7]	データ出所
60	不可	経済	量	アンモニア生産量	4,735万トン	2019	中国国家統計局
61	不可	経済	量	エチレン生産量	2,826万トン	2021	中国国家統計局
62	不可	経済	量	化学繊維生産量	6,709万トン	2021	中国国家統計局
63	不可	経済	量	穀物生産量	6億8,285万トン	2021	中国農業農村部
64	不可	経済	量	上場自動車メーカー数	198社	2020	中商情報網
65	不可	経済	量	外国系自動車ブランド数	30以上(変動あり)	2020	兵庫三菱
66	不可	経済	量	自動車生産台数	2,653万台	2021	中国自動車工業協会
67	不可	経済	量	漁獲量(世界最大輸出国)	8,260万トン	2019	Global Note
68	不可	経済	量	海外旅行時購買額	2,577億ドル	2017	UNWTO
69	不可	経済	性	法定デジタル通貨使用最初の国	—	2021	中国政府
70	可	科学	量	自然科学論文数(2016—18平均)	30万5,927本	2020	文部科学省
71	可	科学	量	特許権取得件数(全分野)	40万件	2019	WIPO
72	可	科学	量	人工知能開発・応用技術(特許権数)	2万2,884件(PCTAI関連特許権数)	2020	WIPO
73	可	科学	量	次世代半導体開発の先端	RAM/GPU開発の先端	2021	—
74	可	科学	量	世界最多の5G等国際特許企業	ファーウエイ:10万件	2020	WIPO
75	可	科学	量	ゲノム編集国際特許件数	186件	2017	Thomson Innovation
76	可	科学	量	GPS精度	1cm識別可能(精度世界一)	2020	中国政府
77	可	科学	量	宇宙望遠鏡(天眼・FAST)	500パルサー	2021	中国政府
78	可	科学	量	研究者数	187万人	2018	UNESCO
79	可	科学	量	◆博士学位取得者数	6万1,317人	2020	中国教育部
80	独	科学	量	単年ロケット打ち上げ回数	55回	2021	新華社
81	独	科学	量	火星着陸探査機数	1個(アメリカ同数)	2021	中国国家航天局
82	独	科学	性	南極基地数	5基地	2020	中国国家海洋局
83	独	科学	性	国家単独宇宙ステーション	1基地	2021	中国国家航天局
84	独	科学	性	月面裏側着陸探査機数	1機(着陸回数は3回)	2021	中国国家航天局
85	不可	科学	量	大学数(学位授与大学)	2,688校(1,265校)	2020	中国教育部
86	不可	科学	量	大学教員数(学位大学)	174万145人(122万5,310人)	2020	中国教育部
87	不可	科学	量	現役大学生数(除く院生・専門学校生)	3,000万人	2019	中国教育部
88	不可	科学	量	温室効果ガス排出量(排出権購入市場)	95億2,800万トン	2021	JCCCA他
89	不可	軍事	量	兵員数	219万人	2020	Global Fire Power
90	可	社/文	量	女性教授数	世界一平等	2021	世界経済フォーラム

No.	競争可否*1	領域*2,*3,*4		分野*5,*6	数量	年次*7	データ出所
91	可	社/文	性	中国武術連盟加盟国(IWUF)	156か国	2021	IWUF
92	不可	社/文	量	インターネットユーザー数	9億8,900万人	2020	中国工業情報化部
93	不可	社/文	量	母語普及学校	162か国に孔子学院	2020	中国国際中文教育基金会
94	不可	社/文	量	海外民族料理店数	(中華料理50万店)	2016	世界中国料理業連合会
95	不可	社/文	量	自国からの母語書籍輸出	32万トン	2020	comtrade(HS4901
96	不可	社/文	量	政党党員数(共産党員数)	約9,500万人(1921年結党時:58人)	2021	党中央組織部
97	不可	社/文	性	共産党独裁年数	70年以上	2021	―
98	不可	社/文	性	華僑・華人人口	6,000万人	2019	中国華僑事務室
99	不可	社/文	性	チャイナタウンの有る国数	161か国	2000	張長平氏による
100	不可	社/文	性	中国雑技団(=中国国際PR活動)	100か国以上で公演(1950年以来)	2021	中国雑技団HP

*1 「可」は中国との競争で勝てる可能性のある分野、「不可」は勝つことが現実的でない分野、「独」は中国との競争よりも世界の舞台で独自の存在感を示すべき分野をそれぞれ示す。
*2 「社/文」は社会・文化分野を指す。
*3 原則、「量」は定量的な分野を指し、「性」は定性的な分野を指す。ただし、数値データが存在しても、中国にしかない分野や競争相手がいない分野に関しては定性分野に分類した。
*4 分野によっては複数の領域にまたがっていることもあり、明確に分類できない分野もある。そのため、ここではある分野に分類されていながら、本文中では別の分野で論じられている場合もある。
*5 自然地理分野は除き、国際関係に影響を及ぼしうる分野をピックアップした。
*6 冒頭に「◆」は現時点で世界1位ではないものの、近いうちに世界1位になると推測される分野であることを示す。
*7 各データの集計年を示す。データは2021年9月時点までで、できるだけ最新のデータを選択した。

筆者作成

中国が世界を牛耳る100の分野

日本はどう対応すべきか

目次

第2部　100の分野が示す世界制覇のエビデンス

第6章 科学・軍事分野

第7章　社会・文化分野

第3部 日本の対中戦略と日本人の対応

第9章　各分野で中国との競争に勝つには—— 188

第10章　日本が存在感を示し続けるために——238

第1部

中国の世界制覇とアメリカの敗北

第1章　中国世界制覇の現実

本章では主要な分野で中国世界制覇が進む現実を総論的に述べると同時に、各分野で中国モデルを世界標準に置き換えようとしている点に焦点を当てたい。

その力の背景は何と言っても経済力であるが、国内と世界にその力を訴えるエモーショナルなシステム、中国が最も人類に貢献できるというネオ中華思想の普遍化を意識して進めている点は日本や欧米にはない強みである。

「中華の復興」の正体

中国はパクス・シニカと呼ばれる世界制覇の時代を漢、唐、元、明、清の5度にわたり歴史に刻んできた。それらの王朝は、世界4大文明に数えられる黄河・長江文明を基礎とする長い歴史と広大な領土、膨大な人口と煌《きら》びやかな文化、豊かな経済力と軍事力を擁する独特の文明であった。

だが、その悠久の歴史がやむ時が訪れる。清王朝末期（1894〜1912年頃）以降、欧米日の列強帝国主義諸国の支配に揺れたのである。1949年に中国共産党が指導する新中国が成立するまで、中国は過去の栄光をかなぐり捨て、波乱に満ちた半植民地国家になり下がっていた。

新中国成立後もしばらくの間は、異なった次元の波乱がこの国を支配した。ロシア革命を師として進めた中国革命による国家建設が、気づかぬままその師とともにほぼ失敗の道を歩んでいたのだ。逼迫《ひっぱく》する食料と財政、土地政策の失敗、進まぬ工業化、数千万人の餓死者を出した大躍進政策や文化大革命などにより、社会は疲弊、崩壊の一歩手前まで凋落してしまった。

その大失敗を経て、それまでの教条主義的社会主義論を清算した鄧小平《とうしょうへい》主導の1978年以降の改革開放政策は、世界の共産党政権下で初めての経済成長をもたらした。高水準の経済成長は社会の安定と、庶民には過去経験したことのない明るい未来への希望を与えた。

それから40数年間、外資導入、貿易黒字の再投資、生産力の拡大は止まるところを知らず破竹の勢いで成長し続け、2011年にはついに日本を抜いて世界第2位の経済大国へと躍り出た。どこにそんな力があったのか、と誰もが驚く中国の経済成長だった。

さらに現在は、世界第1位の経済規模を持つアメリカの低成長の合間を縫うようにして、49年の革命から数えて80数年後、経済力はついに世界首位の座に到達するところまできている。パクス・シニカ、最後の清王朝から120年ぶりの世界王座への復帰だ。習近平主席が最高権力者（共産党総書記）に就任した2012年から、ことあるごとに口にしつつも真意は不明だった「中国の夢」「中華の復興」とは、こういうことだったのだ。やがてこれを補強する別のエモーショナルなスローガン「人類は運命共同体」なる言葉が加わった。

しかし、中国はこれだけでは満足しないだろう。その狙いは、世界に君臨してきたアメリカの玉座をそのデザインもろとも作り直すことにある。この国は、世界経済秩序はもちろんのこと、国際安全保障秩序、世界環境政策など、人類世界の繁栄と安定に直接関わる重要な基軸で先頭に立とうとしているのだ。恐怖を知らないかのような「戦狼外交」は、地球は中国が管理・監督する、という強い意志さえうかがわせる。まさに「世界制覇」に向けて歩んでいるのである。

「覇権」と「制覇」

21世紀は、どの国も覇権国家にはなりえず、すべてを独り占めすることが絶対に不可能な世紀だといえる。ある分野または部分的な支配しかありえず、本書はこれを指して「制覇」と言う。

「覇権安定論」（ロバート・コヘイン）は世界を支配する強力な大国を覇権国とし、覇権国があるとき国際システムは安定するとみる国際関係理論だが、そのような力を持つ大国は、今は存在しないし、これからもそうだろう。だから、もはや「パクス」や「覇権」国家は存在しえないのではないか。

中国研究の専門家ではないが、野口悠紀雄氏は『中国が世界を攪乱する』（東洋経済、2020年）という著書で、「未来の世界において、中国が覇権国になれるかどうか」を課題に検討されたが、読む限り、はっきりした結論に到達することはできなかった。

この種の不本意は「覇権」という、すでに死語同然となった言葉を命題にしたことから起きた必然である。氏のような当代一流の経済学者でさえ、「覇権」が賞味期限切れであることに気づかなかったのだ。

現代は中国によって世界制覇された分野が何で、それぞれがどのように作用し合い、中国自身や日本・世界にどのような影響を与えるか、という視点が非常に重要な時代なのである。日本では中国に対して今もなお、格差社会だ、言論が不自由だ、民主主義がない、庶民は浮かばれないといったネガティブな印象を抱く見方が根強く残る。それはひとえに、共産党や指導者が悪いためだと、体制批判にさえ及ぶこともある。

こうしたイメージを持つ人にとって中国の世界制覇はあろうはずがない、あってはならない、そもそも資格がないなどと片づけてしまいたい話だろう。しかし、現実はその中国に世界一多くの世界制覇の分野が生まれ、さらに増えようとしている。中国の世界制覇は客観的事実であり、人々の価値観や嗜好とは無関係なことなのである。

経済力＝国家力

第2部でより詳しく解説するが、ここで中国の世界制覇が現実的である証拠を3つあげよう。本書の中国世界制覇分析の基本的立場は、経済力が中国のすべての基礎だというものなので、どちらも経済的な証拠である。経済力なくして国際舞台における発言力や海外への影響力、科学力の向上、軍事力増強など世界が注目する分野で存在感を示すことは不可能だ。

1つ目は中国の自動車産業である。2019年時点で中国には世界中の主要メーカーの工場がひしめき、4億人のドライバーと約2億2600万台強の自家用車がある（中国自動車工業協会）。この数字は今後も減ることはなく、むしろ50年には8億人と5億台（1世帯にほぼ1台）になると見られ、世界でも最大級の自動車消費市場にして生産拠点となるだろう。

こうした国内外を巻き込む巨大な消費市場と生産拠点である点は、中国が世界に向かって播くフェロモンのようなものだ。自動車産業に関わる数多くの産業やヒト、そしてカネが世界中から集まる仕組みなのである。

同じようなことは、あらゆる耐久消費財や日用品に関する産業でも起きた。経済の凄まじいビッグバンが起き続けたのである。その証拠にオーストラリアの研究機関ローウィー国際政策研究所は「2020アジアパワーインデックス」で1位のアメリカ（スコア81・6）に次いで、中国を2位に置いた（スコア76・1。3位は日本で41・0）。それも、アメリカには低下傾向を示す矢印が付記された一方で、中国には上昇傾向を意味する矢印を付記。アメリカと中国に対照的な評価が下された。こうした傾向は長期的に今後も続くだろう。これが2

つ目の証拠だ。

3つ目はGDPである。世界最大のコンサルティング企業、プライス・ウォーターハウス・クーパース（PwC）は、2050年に世界のGDP（購買力平価ベース）ランキングは1位が中国、2位はインドで、アメリカは3位に後退するとの驚くべき予測を発表した（17年2月）。さらに、20年12月には、35年までのGDP予測値を公表したイギリスの調査機関CEBR（経済・ビジネスリサーチセンター）が、アメリカ経済は30年までに中国に名目GDPで抜かれ、35年には中国の73％ほどになるとしたのである。

この2つの巨大な調査機関に共通することは、遅くとも2030年代に、中国経済の世界制覇が実現し、それとは逆にアメリカ経済が凋落すると予測する点だ。両機関の予測値をベースラインとすると、50年までの中国、アメリカ、日本の各年の名目GDPの予測値は、図表1‐1で示すように、中国の一人勝ちとなる可能性が高い。20年以降の各年の平均成長率は、アメリカと日本がそれぞれ一律2％、1％で推移するのに対し、中国は20〜35年までが6・5％、それ以降は5・0％となる予測だ。これによれば、11年にアメリカが中国の2倍以上であったGDPは29年に中国がアメリカを追い抜き、以後も右肩上がりにその勢いを増すだろう。こうした各国予測値の基本的な根拠は次の通りである。

図表1-1　30年代にはアメリカをも抜く中国のGDP推移

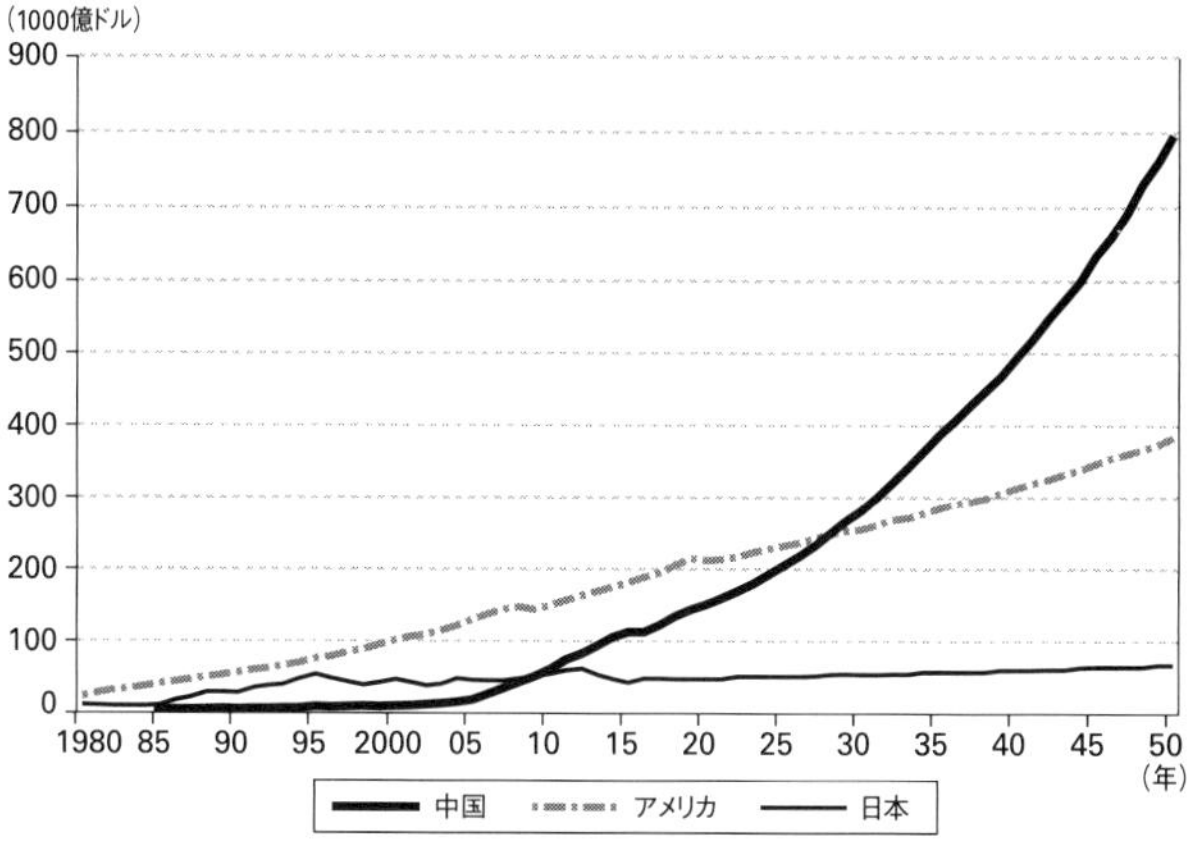

出典）Federal Reserve Economic Data のデータをもとに作成

中国：６・５％から５・０％への成長率減速の理由は、２０１０年代後半に見られたトレンドをベースに、人口の停滞やコスト上昇、人民元高から対外輸出の伸び方が鈍化する可能性が高いため。

アメリカ：移民政策を継続することで人口の伸びが続き、宇宙産業、軍需産業、金融・保険・通信などの第３次産業、過去の海外投資のリターン（２次所得）が増加するため。

日本：１％成長は実は高すぎるともいえるが、中国の経済成長に牽引《けんいん》された対中輸出、海外投資リターン、高度基礎技術製品などの輸出が貢献するため。

一方、国民1人当たりGDPになると少し様子が異なり、2035年に中国が2万4000ドルに対してアメリカ7万2000ドル、日本5万ドルと日米が優位にあり、50年も中国の5万7000ドルに対してアメリカ10万ドル、日本6万4000ドルと日中の差はほとんどないものの、中国は3カ国の中で一番下にとどまる見通しだ。

ただ、1人当たりGDPと平均賃金は直接は関係がない経済指標で、両方の指標が名目か実質かに関わりなく、平均賃金は勤労人口の質と量、労働分配率が左右する。つまりは、中国の1人当たりGDPが日本を下回ったにしても、中国の経済規模・高度技術職需要の強さなどから、平均賃金は日本を凌駕しても不思議ではない。

中国世界制覇の行く末

中国が全面的な世界制覇に着々と近づいていることを少しは実感していただけただろうか。

中国がすでに「世界制覇」を成し遂げたか、その最終段階にきたとする見立てはいまや揺るぎない。

ただし、中国が世界制覇国家として国際世論が納得するだけの正当性や、人類共通の将来性をリードする資格を示せるかどうかは別問題である。つまり、中国世界制覇モデルが世界の標準になることに対しては国際世論の賛否が生まれる可能性がある、ということだ。

そして「中国世界制覇」が持つもう１つの重要な要素は、当の世界制覇を目指す国が社会主義独裁政権国家だという点だ。

社会主義独裁政権の命題は２つある。第１は自己政権を絶対視してほかからの批判を受けつけず、その永続を最優先課題とすること。第２は常に世界の頂点、世界の先頭に立とうとすることである。そうしなければ、独裁政権の根拠が揺らぐことを自覚しているのだ。

その政権を中国共産党が率いていることは、「中国世界制覇」が自己中心的に拡張する性質を与えかねない。「中国５０００年の歴史」は権力間の拡張闘争の歴史でもあり、その素性は今なお中国共産党に受け継がれて、清算できていないのだ。

第2章　アメリカの敗北

２０１８年のトランプ大統領時代に始まり、バイデン大統領に引き継がれた深刻な中米対立。実はこの戦いはそれ以前から起きており、事実上の決着はすでについていた。筆者が挙げる１００分野の大部分をはじめ、様々な分野で中国の制覇は進んでおり、トランプ大統領はそれを初めて表面化させただけなのである。言い方を変えれば、アメリカの敗北はすでに濃厚だったのだ。

本章では、その経緯を振り返り、そのエビデンスを示す第２部へと議論をつなげていこう。

アメリカの油断

１９８０年頃、中国が世界一の分野といえば、10億人という人口だけだった。ＧＤＰは世界第７位で、１９００億ドル程度。日本の３分の１にも及ばず、対外的な影響力はないも同然だった。中国の台頭といわれる時代が訪れるのは、それより20年近く後の２０００年前後である。

興隆する中国の動きに真っ先に反応したのはアメリカの安全保障当局だった。１９９８年、中国の台頭に世界の専門家のほとんどが関心を寄せていなかった段階で、すでに３つの対中戦略を編み出していたのである。（ザルメイ・ハリルザドら『The United States and a Rising China-Strategic and Military Implications-』１９９９年）。

当時のアメリカ当局による対中認識は不確定要素が多く、中国の出方によって方針も大きく変わる状態だった。ただ、驚くことは、経済的にはアメリカをやがて追い越すことを予知しており、次いで軍事的脅威が増す可能性も指摘していたことだ。南シナ海や日本・韓国との安全保障、台湾問題など、軍事的脅威について、ほぼその20数年後と変わらぬ認識を持っていたのには驚く。中国の政治体制についても、改革開放以後に進んだ経済発展が、やがて国内政治の民主主義をもたらす可能性と、そうでない方向性に進む可能性の両方を考慮していたのである（その後、民主化は幻想であることが、ホワイトハウスの共通認識になったのは周知の通りだ）。

このような対中認識のもと、当時からアメリカは３つの対策を念頭に置いていた。具体的には、①経済成長支援など柔軟な関与政策、②東アジア地域の諸国家との関係強化、③台湾問題の平和的解決と台湾統治が独立している現実を支持し、ネーション的独立を強化することである。

こうした対策が考えられたのは、ハリルザド氏の認識を強く反映しているだろう。当時、政権を支える中枢的な立場にあった彼の認識は、アメリカの対中姿勢や認識を代表していたと言える。彼は、まだよく分からないことが多い中国に、かなりの敵対的な疑念を抱いていた。対中軍事攻撃の可能性も、彼が重要事項としてまとめた次の基本原則を見れば隠しようがない。これは中国の台頭を前にしたアメリカの最初の論理、対中原論である。

○ 超越的空軍力の確実な持続
○ アメリカ領空と情報システムの防衛
○ 西太平洋、日本、韓国、東南アジア、南シナ海へのアメリカ空軍によるアクセスの保障
○ 長期的な視点に立つ宇宙空間における軍事体系の確立と太平洋地域への関与

この4つをめぐるアジア・太平洋の緊張関係はなお色あせないどころか、ますます現実味

を帯びている。しかしこの４つの基本原則は「関与政策」の前に次第にアメリカ自身の手によって忘れさられていった。

これら基本原則が定められた背後には、中国脅威論が波紋のように急速に広がる事実があった。その中心はアメリカ自身である。しかし、その自覚は薄かった。むしろ、アメリカは「対中関与」政策の幻想の前に、危機意識は霧消する運命を辿ったのだ。

暴き出された2つの本音

１９６０年代に中国はソ連という大国から離反し、70年代初期の中米雪解け以前の冷戦期を通じて、世界の先進国のどの国からも相手にされない孤立による恐怖心でいっぱいだったが、現段階の中米対立におけるアメリカの対中姿勢の変化はまさにその再来を思わせた。畳みかけるように、超党派が新しい法律を作って対中攻勢へと転向し、議会施政方針演説（２０２１年４月）と就任半年後の閣議（同年7月）で、バイデン大統領は「中国の専制主義に民主主義が勝ることを証明する」とともに、21世紀の中国との競争に必ず勝利すると、強い調子で表明したのだった（『朝日新聞』朝刊２０２１年7月22日）。大統領が就任後初の議会演説で、中国を名指しで批判し、アメリカの勝利を訴えたことはこれまでの歴史にはない。中国はこれに対して、「アメリカの民主主義を他国に押しつけるな」と反発し、アメリカの宣戦布告に受けて立つ構えを剝き出しにした。

このやり取りには、米中それぞれに潜む2つの本音を見ることができる。1つはアメリカが中国に様々な分野で追い抜かれたことを自覚したこと。もう1つは、中国には民主主義国家になる気は毛頭ないことだ。

中国の法律や条例だけでなく、都市部や農村部の至るところで目にする「民主」という言葉は、普段私たちが考える「主権在民」の民主ではなく、「民衆を代表する共産党主権」のことだとする中国式言葉だ。憲法に「習近平新時代の中国の特色ある社会主義思想の指導の下、人民民主独裁を堅持」とあるように、民衆が政治権力の上に立つことが本来の民主であるはずが、中国では共産党政権は民衆が革命で勝ち取ったもので、民衆と共産党政権は同じ次元にあり分離不能だとして、共産党政権そのものが民主的主体というのだ。中国は、「民主」の誤訳をあえて行っている。そうしてできた「民主」という皮を被って、本来の民主主義とは異なる道を進もうとしているのだ。

アメリカの反撃

前述の通り、バイデン大統領の演説で中国に勝利することを強調したアメリカ。その動きは早く、2021年4月15日には、アメリカ上院議員メネンデス氏とリッシュ氏が連名で「2021年戦略競争法」を議会に提出。全会一致でこの法案は採択され、大統領が署名した。25万字を超える分厚い同法案の中身は、アメリカが本気になって中国との「戦闘」を始める宣言であり、まさに中国と対峙するための姿勢、方針、具体策、予算措置をすべて含む対中合衆国憲法のようなものである。その特徴は「中国共産党」と「中国」を使い分けつつ、実態がそうである通り、共産党がすべての中国を支配しているとの姿勢に立つこと。共産党の指示を受け、中国政府は政治や外交、経済、軍事、技術、イデオロギーの力を使ってアメリカを自国の背後に追いやろうとしており、だからアメリカはこれと戦い、同法案は世界のトップの座を維持するための具体的な対策を提案するとしたのである。法案の具体策をいくつか挙げると、次の通りだ。

○インド太平洋地域における軍事力増強
○日本、オーストラリア、韓国、東南アジアなど世界の同盟国との協力体制の強化
○中国が絡むサプライチェーンの離脱と他国への移転支援
○独自の5G通信ネットワークの形成
○北京語、チベット語、ウイグル語、広東語《カントン》によるフリーラジオなど対中国情報戦の強化
○南シナ海における中国の軍事力増強やエスカレートする領土紛争の抑止
○アフリカ開発銀行やアジア開発銀行など、40の国際機関における中国の影響力の削減
○先端技術分野（人工知能、5G通信、半導体製造、量子コンピュータなど）における同盟国との対中協力
○国際規格スタンダードのイニシアティブ確保（中国式規格への対抗）
○知財盗難、少数民族抑圧、スパイ活動等への対中制裁分野の明確化
○サイバー攻撃の防止
○台湾関係法の遵守およびアメリカと台湾が同盟関係に近いとの認識を深めること
○新型コロナウイルスの起源の追及

同法案では、従来のアメリカがとってきた対中国関与政策は失敗であり、全面的な見直しをすべきともした。ただし、国連活動や二国間における共通利益のためには協力すべきことも付記されてはいる。この点は、バイデン大統領と習近平主席との電話会談（２０２１年9月10日）でも確認された最低限の合意だ。

それにしても、関与政策は失敗だったと簡単に言ってしまうところには、アメリカの深刻さが露呈しているのではないだろうか。

アメリカにとっては日中戦争を助け、冷戦時代にはソ連侵攻の恐怖から守り、経済成長を支援してきたはずの中国。ただ、冷戦が終わって世界の政治・経済地図が激変すると、この関係は次第に崩れていった。その象徴が習近平主席の登場だ。トランプ登場の赤い絨毯を敷いたのは、習近平主席だったのである。

自分に背を向けて対抗心を剥き出しにし、あろうことか対等以上を求めようとすることにアメリカは我慢ならなくなった。関与政策が失敗だったと認めることは、中国に対する自らの敗北を認めたことに等しいのだ。

トランプに始まりバイデンに受け継がれたアメリカの対中強硬姿勢に対して、中国にはアメリカにひれ伏そうとする弱い気持ちは微塵もなく、やれるものならばやってみろ、という強い姿勢をあらわに抵抗した。すでに中国は、アメリカの知らないうちに香り高き勝利の白《パイ》酒《チュウ》を飲んでしまっていたのだ。

挑戦者、アメリカ

「2021年戦略競争法」（その後「イノベーション・競争法」に名称変更）が象徴するように、バイデン政権に移行したアメリカは、前トランプ政権以上にあらゆる分野で中国との対立を鮮明にしている。バイデン大統領は、アメリカと中国の対立が民主主義と反民主主義、自由主義と独裁主義、資本主義と社会主義との対立であると捉えているようだ。アメリカの布陣を固めるために、NATO（北大西洋条約機構）やQuad（アメリカ、日本、オーストラリア、インド）、AUKUS（オーストラリア、イギリス、アメリカ）を軸とする西側の結束を積極的に進めている。

一方の中国はこれに激しく抵抗。ロシアや北朝鮮、イランなどアメリカと対立する勢力との連携を強固にする手に出た。経済力をはじめとする国の総合力で、ロシアも含めてこれらの陣営は中国の足元にも及ばない。共通するのは核兵器を持っているという軍事強国であることだ。中国はロシアと相互同盟関係が強いことを認め合い、アメリカと激しく対立するイランとは、「敵（アメリカ）の敵（イラン）は味方」という分かりやすい図式で関係を構築した。特に中国とイランは、中米対立が抜き差しならぬ状態に入ってから、経済や軍事面で25年間の包括協定を結んでおり（2021年3月）、習近平主席の一帯一路（63ページ参照）で結ばれた両国の絆はますます強くなっている。

そんな折、発足からわずか2か月後のバイデン政権は、21年3月に800ページ近い「人工知能に関する国家安全保障委員会」の手による『最終報告書』をまとめた。人工知能を制する者が、世界を制することに気づいたのだ。その一節には、こうある。

競争はイノベーションを速めるものだ。我々は新型コロナウイルスのワクチンの発見がそうであったように、人類に大きく貢献する人工知能競争に直接参加しなければならない。しかし、中国との間で激化するこの戦略的な人工知能競争に負けるわけにいかない。中国の計画、資源、そしてそのための手順はすべてのアメリカ人に関わるものだ。

我々は世界の人工知能のリーダーとして、アメリカをこの10年の間に追い越そうとする中国の野心を見逃すことはできないのだ（著者訳）。

敵は中国にあり。アメリカは中国との間に人工知能競争があることをはっきりと認めた。そのために多方面からの具体策の完成を促す、膨大な問題意識がこの報告書のすべてのページを埋めている。人工知能の分野、研究と実用化水準の高さ、人材、産業規模の点で、アメリカは中国を引き離していると思っていたが、それは単なる自信過剰だったのだ。

「イノベーション・競争法」を受けて、中国は「反外国制裁法」（2021年9月）というアメリカや日本など、アメリカの同盟国を狙い撃ちした法律を成立させた。目立つのは、アメリカが日常的に採用している外国人制裁の中国版で、主に、特定のアメリカ人を標的にした対抗措置である。

中米対立のゆくえ

2050年は、3つの100が揃う記念すべき年として、天安門広場に祝賀行事の横断幕を飾ることであろう。

もちろん、2050年には本書で挙げた国際社会でプレセンスを高める100の半分は、新しい分野に置き換わっているかもしれない。１００から２００分野になっていることもありえるだろう。ただ、いずれにせよ中国の進撃は止まらないように筆者には思える。

そして、２０５０年までの間、内部組織の編成や政治方針は劇的に変わる可能性はあるものの、共産党が政権の座から下りることも１００％ありえないだろう。歴史は、時代の変化に応じた政党政策と理念の変化だけが、政党を生き長らえさせることができることを教えている。中国共産党はこれまでも、一党独裁体制を除いて基本政策を時世に応じて柔軟に変えてきた。

その中で、教条的マルクス主義者には想像もできない新たな共産主義像を「マルクス主義」の名の下で創造し、換骨奪胎《かんこつだったい》を繰り返すことが予想される。例えば、共産党独裁の下で一部の国有地を除く土地私有制の導入や、今の人民代表大会に代わり、より西側に似た議会制などをはじめ、相当広い範囲で制度の変更が進むこともあり得る。すでに中国共産党の屋台骨であり、共産主義の基軸である計画経済と政府による分配制度は崩れている。政治的には共産党の一党独裁体制、経済的には労働・資本・土地の自由な使用と移動が進む市場主義体制と、こうした異質性が同居するのが中国の特色ある社会主義ということなのだろう。

第２部

１００の分野が示す世界制覇のエビデンス

第3章　総合分野

第2部では、中国世界制覇のエビデンスとなる100分野を総合分野（第3章）、外交分野（第4章）、経済分野（第5章）、科学・軍事分野（第6章）、社会・文化分野（第7章）の5つに分類して紹介する。いずれも中国が定性的に最強であり、定量的には最大、後述する基準をクリアするものを抽出した。

中国はアメリカが競走相手、つまりは政治的、経済的、軍事的な対立国であることが明白になってから、ますます目に見える形で自国の国際的な地位向上策を強めるようになった。これから述べる100分野は、そのための基盤であり、さらなる別の分野の世界制覇を獲得するための基盤ともなりえる資源だ。本書は100分野を次の2つの基準に基づいて抽出した。

①アメリカに勝つための手段となり、それぞれの分野が中国的やり方（中国モデル）に変

更または新しく規格化されたもの、もしくはその過程にあるもの。すなわちそれぞれの分野で中国モデルの形成が行われ、あるいは世界をその渦に巻き込むことが確実視できるもの。中にはパンダ外交や華僑・華人分布など、中国しか持たないソフトパワー的なものもあるが、これ自体が中国を柔軟な、そして歴史・文化豊かな国として、世界に印象づける中国モデルの脇を固める強い働きをしている。

②将来の人類社会全体あるいはその相当部分のあり方が、中国モデルを原型に方向づけられるような積極的な意味を持つこと。人工知能やＥＶ（電気自動車）生産、量子コンピュータ、再生エネルギー発電、北京発国際新幹線網、領海拡張などがこれに当たる。

抽出した１００分野は図表Ｐ－１にまとめた（6ページ参照）。以下では１００分野のうち、紙幅の都合上、この２つの基準が最も典型的に表れている分野を取り上げていく。これらは人口を除いて、習近平主席が政権の座に就いてから動き出した分野がほとんどである。その意味では、改革開放以後蓄積されてきた中国の対外影響力の拡張志向が機能し始めた象徴でもある。

それでは、まず中国の大国ぶりを示す総合分野から見ていこう。総合分野の意図は、単純な基準では特定の分野に分類できず、世界が、定性的あるいは定量的に他の国には存在しないか世界一として公認し、その国の世界的地位を押し上げることに大きく寄与する分野のことである。中国の場合、100分野のうち11分野が該当する。

世界最大級の人口がもたらすもの

人口規模の大きさは外交、経済、科学・軍事の創成力とその海外への伝播力の基礎である。例えば、人口大国であることはモノの製造規模や消費、世界との輸出入、国際的人流の拡大といった面で絶対的な威力を発揮する。

2020年の調査（日本の国勢調査と同じ）では、中国の人口は14億1000万人で世界一、増加率はやや鈍ったとはいえ、10年前に比べて5・38％、約7000万人も増加した。

さらに、その巨大な人口のほぼ100％が中国共産党のイデオロギーに支配された愛国主義者でまとまり、約90％が漢民族を中心に、一枚岩の民族意識で固まる。55の少数民族を漢族が主体の「中華民族」に溶け込ませ、国民全体を愛国主義者に染め上げようとする意向も鮮明だ。2017年、共産党規約に「中華民族の共同体意識の確立」が新たに加えられて諸民族の団結が謳われたのは、そのような背景がある。

では、この巨大な人口は今後どうなっていくのだろうか。国連人口予測によれば、中国の人口は２０５０年に約14億２００万人、２１００年には約10億６５００万人となり、20年よりも約４億人減るという。これは３つあるシナリオのうちの１つで、一番実態に近いと考えられるものだ。この予測を基に考えると、中国の人口の最大値は31年の14億６４００万人で、今後約10年間は増加が続き、32年以降に減少へと転じる。少子高齢化については、近年の一人っ子・二人っ子政策の実質的廃止も虚しく、今後も加速していくようで、前述のシナリオでは50年には65歳以上人口が35％（約５億人）、70歳以上人口が20％（約３億人）になるとみられている。つまり、中国は50年には65歳以上人口が現在の日本の総人口の４倍以上、70歳以上人口が２倍以上にも達する見通しなのだ。農村部と地方都市では人口が減って限界集落が増え、県都（県庁所在地）以下の地域では都市機能が衰退する恐れもあるだろう。

かといって、こうした中国の人口事情がＧＤＰにマイナスの影響を及ぼすかというと、一概にそう決めつけることは難しい。２０５０年に１人当たりのＧＤＰが日本並みの６万ドルになるには、総ＧＤＰが84兆ドルに増える必要があるが、21年に出された「ワールドエコノミッククリーグ」（イギリス）の予測を援用すると、中国がそれをクリアできるかどうかは微妙だ。しかし、人口が減少しても経済活動基盤や生活基盤ができており、1人当たりGDPの今後の伸びしろが大きいため、GDPが人口構成の悪化に引きずられることはないと考えられる。

強気な領土・領海の拡張

海による富国・強国

「海洋法に関する国際連合条約」(以下「海洋法条約」)は、海洋水域の拡張には実効支配する小さな島が点在するだけでよいことを定めている。中国による南シナ海の人工島造成や尖閣諸島の実効支配の試みは、この条約に基づいた領土とその面積の数倍となる水域の獲得が目的だ。最終的な狙いは、西太平洋域を自由に実効支配できる広大な水域を確保することだろう。太平洋と東シナ海に接する台湾統一戦略は、その目的を達成するための手段の1つでもある。

中国の水域の拡張計画は、実効支配を既成事実化し、それを急がずに世界に認めさせていくというものだ。そのために、他国が気づかないうちに大型浚渫《しゅんせつ》船を運び、掘り起こした海底の大量の土砂で別の海面を埋め立て、1歩ずつ着実に事実の積み上げを図っていく。南シナ海西沙諸島の三沙市や南沙諸島の太平島などの滑走路付きの人工島の建設は、まさにその例と言えるだろう。

そして、こうした水域の拡張は習近平主席への評価において重要な位置を占めている。国家主席に選出された後の2013年、習近平主席は中央政治局の勉強会ではじめて言及した「海による富国と強国」を着実に実行へ移し、成果を上げたのである。習近平主席の世界戦略は海から始まっていたと言っても過言ではないだろう。

3つの人工島の意味

中国の国土面積は約960万平方キロメートルで世界第4位の広さを誇る。一方、領海と排他的経済水域（EEZ）を加えた水域面積は、中国自身の発表で300万平方キロメートルで、世界第10位以内にも入らない。水域体積（海底面積×海底から海面までの平均距離）も日本が1580万立方キロメートル（笹川財団海洋政策研究所）で世界第4位なのに対し、中国はトップ10にも入っていない。

ただ、中国が主張する南シナ海の九段線（南シナ海沿岸国の沖合12海里以遠に中国が自国領海として引いた9本の線）以内および尖閣諸島のEEZを加えると話は変わる。両域の合計は約287万平方キロメートル（南シナ海：280万、尖閣諸島：7万）で、それも併せた総水域面積（587万平方キロメートル）は日本を引き離して世界第5位の規模となるのだ。これを前提にした水域体積は日本をはるかに上回る。こうした事情もあり、中国は南シナ海の編入を長い間、虎視眈々《こしたんたん》と狙っている。

南シナ海を自国の水域とするには、そのすべての海域が実効支配する領土の基線から200海里（370キロメートル）以内に存在しなければならない。中国の領土である海南島から東南の方角に位置し、南シナ海の南東のへりにあるフィリピンのパラワン諸島までの距離が1300キロメートル程度であることを考慮すると、海南島からパラワン島を結ぶ直線上に、最低でも3つの中国領土が必要だ。

ここで、思い出してほしいのが、中国が秘密裏に造成した滑走路を備える3つの人工島である。これらの人工島は、まさにこの直線上に間隔を開けて並んでいるのである。こうして南シナ海の事実上の支配を進めているのだ。

この作戦はほぼ成功する流れにある。そして、その勢いは今後日本領土に向けられるような気配すら漂っている。というのも、2021年11月に中国海軍の外洋測量船636A型海洋総合調査船＝シュパン級測量艦船（バイドゥによると全長約130メートル、排水量5883トン）による鹿児島沖領海侵入や、津軽海峡を通過して日本領海を取り囲むように一周する中国戦艦（＋ロシア戦艦）の群れが観測されるようになったのだ。尖閣諸島領海侵入を日常化し、船舶航行の既成事実化に成功したと判断したに違いない。こうした動きは第1段階の作戦を終え、筆者の目には次の段階となる目標設定を模索し始めたように映る。

独自解釈による領海の設定

こうして中国は水域の拡大に向けた動きを活発化させているが、これらは最近始まったことではない。もっと早い時期から海の権利獲得に向けて動き出しており、その実質的スタートは1992年の「中国領海及び接続水域法」の公布だと言えるだろう。

同法は領海（岬といった領土内の複数の先端部分同士を結ぶ直線＝基線とし、そこから沖合へ12海里の領域）と接続水域（領海から沖合へ24海里の領域）、そして内水（基線内の水域）を定義した中国独特の国内法だ。これらはみな、「海洋法条約」の独断的解釈に基づくと言われている。

この3つの定義を固める上で不可欠な基線を、対外的に具体的な北緯・東経を挙げて明確にしたのは、1996年5月15日の「中国領海基線に関する中国政府の声明」だ。そして、2012年9月10日に、独自に定めた尖閣諸島の具体的な基線を「尖閣諸島領海の基線に関する声明」で宣言。これは、日本の海上保安庁巡視船との「漁船衝突事件」に対する中国の一方的な措置だった。

もちろん、こうした中国の姿勢には否定的な見解が存在する。例えば、南シナ海の西沙諸島のような小さなサンゴ礁には直線で結ぶ角がなく、そもそも直線基線は存在しえない。だから、直線基線では領海の定めようがないはずだとして、中国の水域拡張は論理的に成立しないとする見方である（吉田靖之「南シナ海における中国の『九段線』と国際法」『海幹校戦略研究』2015年）。

しかし、中国は世界が長年の歴史を通じて築き上げてきたこうした国際海洋常識を無視、自国のことしか考えない強硬手段を選んだ。

「一帯一路」によるチャイナニゼーション

一帯一路を先頭とする国際的な取り組みは、「世界の中国化＝チャイナニゼーション」という大きな目的の手段である。この手段は以下の３つのカテゴリーに分けることができる。

第１カテゴリーは経済を主とする二国間連携（点の連携）、第２カテゴリーは特定の地域もしくは複数国との経済を主とする連携（線の連携）、そして第３カテゴリーは、第１・第２カテゴリーのすべてを一気に飲み込む一帯一路（面の連携）戦略だ。それぞれのカテゴリーの役割は、中国化の手段として効率性や国家間の歴史関係や個別の事情を踏まえたものである。順に解説していこう。

第１カテゴリー：二国間協定（点）

２０２０年までに中国が自由貿易の二国間協定を結んだ相手国はモーリシャス、ジョージア、韓国、アイスランド、ペルー、シンガポール、チリ、パキスタン、カンボジア、モルディブ、オーストラリア、コスタリカ、スイス、ニュージーランドの14か国である（中国商務省）。

例えば、左派政権となった韓国との間では、２０１０年代から「中韓国際連携モデル地域（長春市）」や「威海中韓自由貿易地方経済協力モデル地域産業ゾーン」など、中韓経済特区の建設が始まった。そのベースは15年発効の中韓ＦＴＡで、中国政府統計（『中国統計年鑑』）

によれば、19年の韓国の対中直接投資は日本の対中投資の2倍近い。中国と韓国の政治・経済面での一体化が徐々に進んでいるのである。

また自由貿易協定ではないが、ロシアとの間では、２０１８年に「２０１８‐24年中ロ東沿海州協力発展計画」を、19年には「新時代における包括的で戦略的・協力的なパートナーシップの発展に関する中国とロシアの共同声明」を締結し、両国は一段と緊密さを深めている。ほかにも21年3月時点では、スリランカ、イスラエル、ノルウェー、モルドバ、パナマとも協定締結の協議を始めており、その協力地域を広げようとしている。ちなみに日本、アメリカ、ＥＵ、イギリスなどとの第１カテゴリーとなる協力構築は先送りされている。

第2カテゴリー：複数国間協定（線）

線による地域の抱き込みはどの国も触手の誘惑にかられるが、中国にとってのその理由は協定の対象とした地域を１つとみなして、港湾やアクセス整備を面的あるいは線的に構想できる、様々な意味での効率性確保にあると見られる。

２００１年、中国は発足したばかりのＡＳＥＡＮとのＦＴＡ「中国‐ＡＳＥＡＮ自由貿易地域協定」を締結。サービス取引の自由化や非関税障壁の撤廃、投資規制の撤廃と相互投資の活発化など、内容の濃い協力関係の構築を謳った。

この協定によって両者の貿易関税はほとんどがゼロに設定された。注目すべきは互いに、競合する農産物や海産物の関税についても引き下げ、またはゼロ化したことだ。中国からすれば、地理的にＡＳＥＡＮに近い海南省、広東省、雲南省、広西チワン族自治区、福建省《ふっけん》などの農村漁村経済に与える負の影響は大きい。それでも、２０２１年には、そのＡＳＥＡＮ重視姿勢は一層明らかになり、習主席はＡＳＥＡＮとの関係を従来の「戦略的パートナーシップ」から、より緊密な「包括的戦略パートナーシップ」に、ほぼ一方的に格上げした。

２０２２年１月からはＲＣＥＰ（地域的な包括的経済連携）協定も発効した。１９８９年から協議が始まったＡＰＥＣ（アジア太平洋経済協力）は経済連携共同体としてはまだ未発効だが、自国中心のアジア太平洋秩序を手にしたいと考えていた中国はＲＣＥＰで主導権を握り、少なくとも経済領域についてはそれを実現したのである。その参加国は中国のほか、日本、韓国、オーストラリア、ブルネイ、カンボジア、ラオス、ニュージーランド、シンガポール、タイ、ベトナムなど15か国。つまりは20年時点で人口約23億人（世界の30％）、ＧＤＰ約26億ドル（同30％）という巨大経済圏ができあがったのである。

今挙げたこれらの協定は中国の大消費市場や豊富な中国資金を武器にしたもので、中国にとっては相手国を引き寄せ、影響力を積極的に強化する上でほかの国にはできないほど効果的なのだ。

さらに中国は、2021年9月16日にアメリカが抜けたTPP（環太平洋パートナーシップ協定）への正式な加盟申請も行った。実現への壁は高いが、今後、中国は既加盟各国に経済的・政治的なゆさぶりをかけながら柔軟な姿勢で交渉に臨むだろう。国内では一部の貿易試験区でTPPルール適用実証実験を始めたようだ（新華社）。TPPにはその後、台湾やイギリスも加盟申請を行い、複雑な様相を見せるとともに存在感も増してきている。

なお、当初の理念だった国境安定よりも安全保障ブロックの色彩を強めた「上海協力機構」（中国、ロシア、カザフスタン、タジキスタン、キルギス、ウズベキスタン、インド）や、ほぼ親睦団体程度でしかないとされる「16＋1」（16の中東欧諸国＋中国）なども第2カテゴリーに入れることができる（リトアニアがウイグル政策を批判し離脱する以前は「17＋1」）。上海協力機構は中ロに共通する対米軍事的関心を表に出すようになったが、基本的意義は同機構の「憲章」が明記する地域の安定を図ることにある。

第３カテゴリー：一帯一路（面）

一帯一路とは、政権に就いた習近平主席が２０１３年に唱え始め、投資や貿易、援助の輪で日本やアメリカを除く先進国・発展途上国を問わずに、各国を巻き込んだ戦略的な世界抱き込み政策のことだ。中国はこれを現代版の陸と海のシルクロードとし、加盟国間の政治信頼や経済融合、文化相互理解による「運命共同体」（習氏）に引き上げようとしている。中国版の第2の国連とも呼べる世界最大の国家連合だ。参加国は２０２２年２月時点で世界１４８か国、32の国際機関も加盟し、２０６の関係文書に署名した。

陸のシルクロードは、中国の南北の複数の都市からロシアや中央アジア、あるいは南アジアを経由して複数のヨーロッパ都市を結ぶ３～４本の陸路を指す。現在走っている中国とヨーロッパを結ぶ高速貨物列車もこの１つである。他方、海のシルクロードは東南アジア沿岸からスエズ運河を経由してヨーロッパに至る海路、上海から日本海を北上して北極海を渡り、北アメリカ東海岸とロシア沿岸を西へ旋回してオランダなどヨーロッパに至る北極航路（北極シルクロード）からできている。

一帯一路政策は突然生まれたものではない。アフリカ枢要《すうよう》諸国との準同盟に近い強固な投資・貿易関係の構築、東南アジア諸国との経済補完関係の構築、中央アジア諸国や中南米向けの大規模直接投資という伏線があった。１９５０年代に旧宗主国から次々に独立していたアフリカ諸国と前述のような友好関係を中国は築き、その成果が71年の国連議席回復におけるアフリカ諸国の大量支持につながり、それが一帯一路の基盤になっているのだ。アフリカでは日本が国として承認している54か国のうち51か国が参加、未参加はマラウイ共和国など３か国にすぎない。

最初に先進国・発展途上国を問わずと書いたが、それでも参加国の大部分は発展途上国で、中国の財政力による支援への期待感が強い。その期待に応えるかのように、中国はすでに１４１か国に対して、累計３６２０億ドルに及ぶ各種ＯＤＡを実施してきた（ウィリアムメアリー大学調査）。さらに、途上国向けのインフラ投資のためと称して、アジア開発銀行（ＡＤＢ）に対抗するアジアインフラ投資銀行（ＡＩＩＢ）を２０１５年に設立している。

この物流・人流・金流からなる現代版シルクロードは、第1カテゴリーと第2カテゴリーを丸のみする世紀の大構想だ。中国は、この一帯一路構想が世界における中国の立場を強化していると自認している。２０２１年7月に習近平主席が開いた、中国共産党と世界政党指導者会議はその証左であろう。この会議には一帯一路参加国など１６０か国の政党指導者がオンライン方式で集まり、参加者は習近平主席の演説に聞き入った。そこで、習近平主席は、参加者が「平和、発展、公平、正義、民主、自由という全人類共通の価値を守る責任がある」と述べたという（新華社、２０２１年７月７日）。

一方、一帯一路構想は非参加国の日米から、中国による発展途上国の債務づくりだとして批判も浴びている。確かにその一面はあるが、ＡＤＢや世界銀行の発展途上国融資もその点では変わらないので、あまり効果的な批判とはいえない。一帯一路は始まったばかりで、ノウハウも資金も人材にも不安な面があることは事実である。

この構想自体は、おそらくかなり先まで継続すると見られ、その過程で関係国に対しては無視できない影響をもたらすであろう。新型コロナウイルスの流行や中米経済対立などにより一時的にペースダウンすることはあっても、一部の日本人が考えるほど世界は中国を嫌ってはおらず、アメリカの同盟国とも言えるイスラエルやアフリカのジブチでの中国による港湾や空母施設の建設など、アメリカに代わり中国を求めている面があることは否定しようがない事実である。

そして、一帯一路により中国は、自国とこれに誘発された多国間の直接投資・貿易を促すプラットフォーム的機能を担い、そこに多数の中国籍企業がリーダー役となって、地球の方々に中国モデルによる大中小の自由投資貿易経済圏を生み出す可能性がある。

中国の経済的狙いは、商務省の「国別投資指南書」に現れているように中国の融資や投資が中心となって、対象国・地域との相互循環による経済発展を図ることにある。むろん、資源確保の可能性や投資収益の回収機会は捨てず、交通・製造インフラは中国モデルを移転するだろう。これらが総合的な中国モデルの具体的な枠組みとなる可能性がある。

北京発パリ行き新幹線

ここからは中国が構想する、一帯一路を支えるであろう交通革命について触れていこう。

中国はヨーロッパのロンドンやマドリード（世界最長の営業線）などを結ぶ高速貨物列車をすでに営業運転させているが、その先の計画として、２０２０年８月に政府傘下の国有企業である中国国家鉄路集団が「新時代交通強国鉄道先行計画概要」を公表した。計画は21年から人工知能を駆使して国際的に一流の技術を構築、35年と50年の２つの時期を意識して国内鉄道路線の整備のほか、旅客・貨物双方の国際鉄道建設の協力推進を図るとした。一帯一路推進策の一環として、参加国を結ぶ中国モデルの高速交通網の整備を目指しているのは明らかであろう（図表３‐１）。第14次5か年計画（２０２１〜２０２５年）に見られる、「総合

図表３-１　中国国際新幹線網（予想）

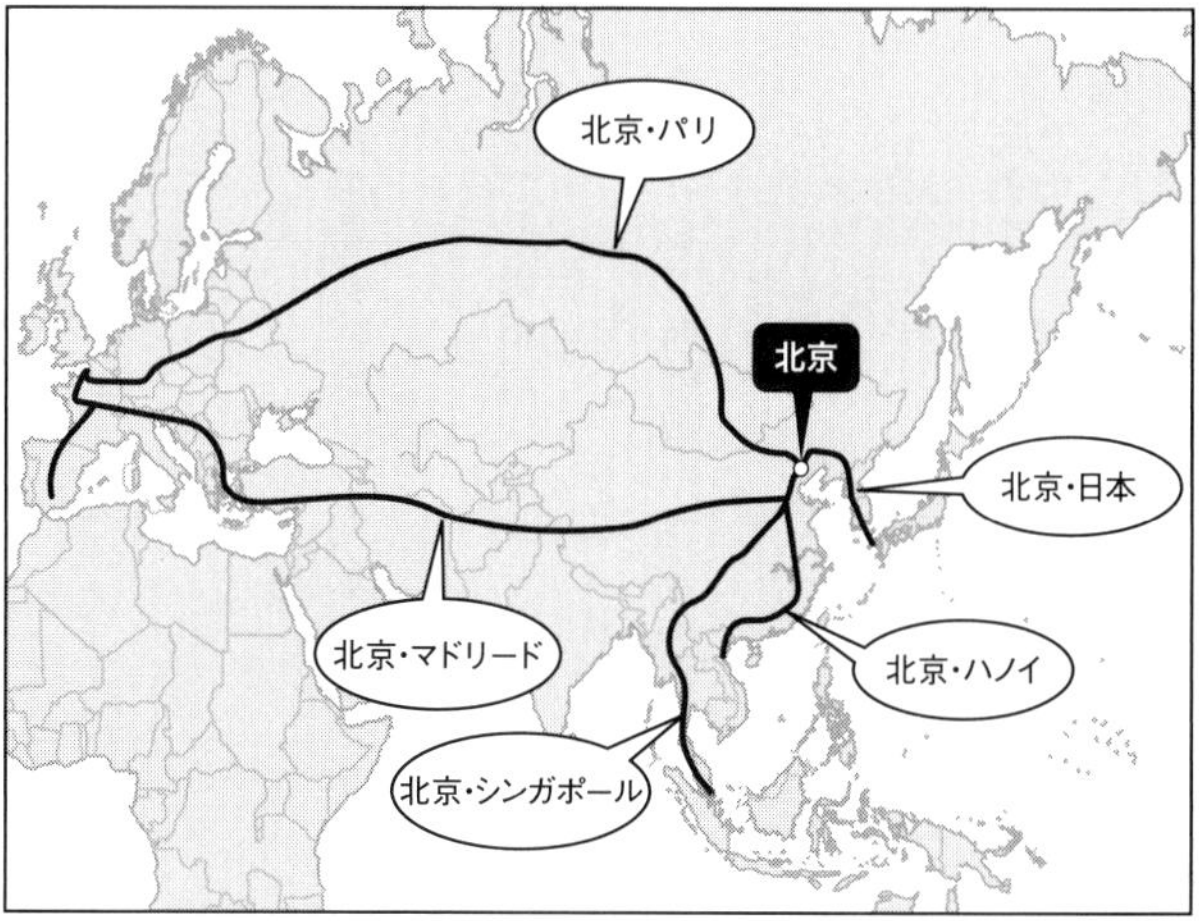

高速交通網を近隣諸国との相互往来の下で目指す」、との表現はその裏づけでもある。

そこで優先される大型プロジェクトが、旅客列車や中国の新幹線である和諧号《わかい》を、ユーラシア大陸を横断して８３００キロメートル先のヨーロッパまで走らせることである。その下地は「中欧鉄路路線計画」としてすでに出来上がっており、北京発シベリア経由でヨーロッパまで至るルートと、河南省の省都鄭州から新疆《しんきょう》ウルムチ経由でドイツのハンブルクに至り、そこから支線でパリ、デュッセルドルフ、ミラノへと向かうルートだ。ほかにも、アジア各国を結ぶ鉄道ルートを中国は画策しており、２０３０年頃からは次に挙げる新幹線網建設計画の協議、さらには着工が始まるであろう。これら陸上交通網は飛行機よりも時間はかかるが、莫大な輸送力を背景に、北京や上海を中心とするアジアと欧州をまたぐ旅行者やビジネス需要を強く活性化させるはずだ。

○朝鮮半島新幹線：北京から平壌・ソウル経由で釜山までの1240キロメートルを4時間で結ぶ計画（KTX相互乗り入れ）。
○モンゴル新幹線：北京からモンゴルのウランバートルまでの1170キロメートルを4時間で結ぶ計画。
○東南アジア新幹線：北京からラオスのビエンチャン、タイのバンコクとマレーシアのクアラルンプールを経由して、シンガポールに至る5000キロメートルを15時間で結ぶ計画。中国がラオス・マレーシア・タイで建設支援中の高速鉄道を兼用。
○中国東岸新幹線：北京から上海経由ホーチミンまでの3400キロメートルを11時間で結ぶ計画（東南アジア新幹線の支線）。
○ヨーロッパ新幹線：北京からモスクワ・ベルリン経由でパリやハンブルクなどへの8

３００キロメートルを30時間程度で結ぶ計画。

資金援助をもとにまずは新幹線サイズの軌道を建設、中高速運転列車を走らせ、時期を見て新幹線フル規格車を走らせるやり方は、東南アジア各国、ラオス、パキスタン、カンボジア、タイ、マレーシア、インドネシアで、２０１０年代から進められてきた中国モデルの鉄道建設事業にも当てはまる。こうした周到な準備と計画的取り組みの前に、競争相手の中国の動向把握が苦手な日本の新幹線売り込みは、残念なことに常に中国に競り負けている。

また、新幹線の技術的な問題も中国は解決しつつあり、競争力を強めている。例えば、新幹線は高速走行のため、冷温と高温に弱点があると言われるが、このうち冷温問題については２０２１年開通の「牡佳《ほか》高速鉄道」（中国最東端の新幹線）が克服、高温については同年開通した「ランツァン号」（中国雲南省・昆明とラオスのビエンチャンを結ぶ高速鉄道の愛称）が克服の可能性を示した。

そして、こうした国際新幹線網をサポートするのが、２０２０年にスタートした「デジタルシルクロード構想」だ。これは参加国をデジタル通信やデジタル決済で結ぶ、まるで別の地球を作り上げるかのような構想である。これによって国際新幹線の利用客はスマホ１つで座席の予約や決済を行うことができ、運行企業は車両編成や各駅での発着時刻の調整など、日本でいうダイヤの迅速な構築や変更が実現できるようになるだろう。

新たに狙う北極航路

続いては中国が狙う新たな海の航路である北極航路についてである。

中国が北極海に関心を示し始めたのは１９９６年に北極評議会（沿岸国のカナダ、デンマーク、フィンランド、アイスランド、ノルウェー、ロシア、スウェーデン、アメリカの８か国で構成）が発足した頃だ。その時はまだ具体的な活動を起こすまでには至らなかった。

動き始めたのは２０１３年だ。この年に日本、中国、インド、韓国、シンガポール、イタリアの６か国が北極評議会へのオブザーバー参加を認められたのである（２０２２年時点でオブザーバーは13か国に拡大）。

北極評議会は環境保護を最上の組織理念としているが、中国・大連海事大学の李振福《りしんふく》氏が指摘するように（『港口経済』２００９年）、全地球埋蔵量の25％に及ぶ石油・天然ガス、計り知れない量の多種多様な鉱物資源、豊富な漁業資源といった北極の自然資源および、ロシア沿岸に沿ってヨーロッパに至る航路や、アラスカ・カナダ沿岸に沿ってアメリカ大陸東岸に至る航路をめぐる、国家間の利権対立の調整組織でもある。オブザーバーが参加したことによって、この北極評議会は、利権独占を狙う8か国と利権に入り込もうとするオブザーバー国との露骨な闘いの構図があからさまになったのだ。

もちろん、中国もその複雑な利権に分け入ろうとしてきた。最初に関心を寄せたのは、中国が西北航線と東北航線（北極航路）と呼ぶ2つの航路のうち、ロシア沿岸を通ってロッテルダムに至る、厳寒の北緯72度付近を通る東北航線の開発と実用化だ。初めて一帯一路構想が発表された時にこの北極航路はその対象に含まれていなかったが、２０１５年には、一帯一路構想の追加修正版とも呼ばれる「シルクロード経済ベルトと21世紀海上シルクロード構想と行動」で海洋強国の建設には欠かせないとして、この北極航路を含む「一帯一路一道」構想がトップクラスの政策となった。

一方、中国の交通運輸部には大型船が無事に通過できる環境や救難体制が整備できるか不安視する声も当初はあった。だが、２０１５年以降、温暖化によりさらに氷解が進んで50年までには北極海の氷は消失することで自由航行ができる公海が開かれる見通しにあること、海難事故などが起きた場合の救難体制の整備について北極評議会からの好感触が得られたことで拍車がかかった。

上海、青島《チンタオ》、天津《てんしん》、大連から巨大貨物船が日本海を北上（船体によるが舞鶴港や新潟港は途中寄港地となろう）、カムチャツカ半島を左舷に見て、ヨーロッパ貿易の海の玄関口ロッテルダムへとつながる航路の開通。中国の雑貨や中間工業材などを運んで、帰り荷として中東そのほかの地域から工業原材料やヨーロッパの食品や先進工業製品などを運んでくる利益は想像を絶するだろう。さらに中国は、この航路にマラッカ海峡やスエズ運河に災害や紛争などが起きた際の非常用航路としての利用や、5000キロの距離短縮がもたらす輸送コストや海賊リスクの大幅な軽減にも期待をかけている（前出、李氏）。

中国は南極に2つの基地を持ち、極地航海の経験も豊富だ。2018年には、長さ123メートル、幅22メートル、速力12ノット（時速22キロメートル）、排水量1万4000トンという世界最大の60日間無寄港航海が可能な砕氷船「雪竜2号」を自作建造し、就航させた実績もある。いつでも、西北・東北いずれの北極航線にも出航可能な準備は整っていると言えるだろう。やがては北極の西北航線が全面開通し、中国や日本、韓国の貨物輸送船が群団を組むように海を行き交い、群団の合間を縫うように10万トンはあろうかと思われるクルーズ船が進む光景が広がるのも夢ではない。

こうして中国がヨーロッパと結ぶ輸送路は陸路、航空路に海路を加えた3本立てが完成する。交通の選択肢が豊富になることによって、モノとヒトの往来は飛躍的に増え、中国の地位は一段と高まることになろう。一方の日本にとっては、第2の北前船となるかもしれない。

第4章　外交分野

中国の外交はほかの国以上に自国第一主義で柔軟性に乏しく、共産党あるいは政府が定めた方針や認識を曲げて交渉したり対応することもない。しかし、中国は歴史的に外交に長けた国でもある。火薬や羅針盤の発明から始まって、「西洋下り」と呼ばれる世界初の7回にわたった鄭和《ていわ》によるアフリカ東岸から地中海沿岸までの大航海、朝貢や漢代における冊封《さくほう》体制（周辺諸国との支配・被支配関係の樹立）といった外交技術は中国しかできないことだった。これらは各地に中国の古い文物の足跡を残し、現代の対中国畏怖感の下地としても機能している。そして、その伝統的な外交技術の一部は現代に受け継がれ、中国の世界制覇に貢献した。ここでは、そんな巧みな中国外交の神髄の一部を紹介しよう。

パンダ外交

中国の世界戦略方法の１つは独自のソフトパワーを駆使することで、外国の内側から人々を中国に引きつけようとする広報活動だ。その代表例と言えるのがパンダ外交である。子供時代から世界の中国ファンを育てようとする意図がここには滲んでいる。

中国にあって他国が持ちえない親善大使役のパンダは、中国に１８６４頭（２０２１年時点）しか生息しない絶滅危惧種だが、愛くるしいその貴重な動物は海外に贈与、あるいは貸与、画像などを通じて拡散されている。これまでに贈られた国は日本（10頭）、アメリカ（12頭）、イギリス、フランス、シンガポール、カナダ、マレーシア、ベルギー、オーストリア（2頭）、タイ（3頭）、ロシア（ソ連時代）、北朝鮮、メキシコ、ドイツ、スペインの15か国。１９５７年から82年までは計23頭が日本を含む9か国に贈与された。それ以後は貸与にとどまっている。

15か国は世界全体から見ればわずかの数だが、中国にとっては特別なこれらの国の人々がパンダと中国のイメージを重ねてくれるだけでいいのだ。また、最近ではこれらの国にとどまらず、健気なパンダの姿がSNSや画像を通じて、強面の中国というイメージを世界中で和らげ、中国＝パンダという心理の広がりに一役買っている。パンダは中国外交にとって、国家を代表する重要な動物なのである。

在外公館数の威力

在外公館の一般的な目的は「ウィーン条約」（1964年）に則ることとされているが、在外公館による具体的な外交活動は原則的に各国の自由である。主な活動内容は当該国の在留国民の保護、外交と宣伝、情報収集活動の拠点となること。ただし、どの点に重点を置くかは国家政策によって一様ではない。中国の場合は、外務省が「すべての法的手段を駆使して現地国の経済や貿易、科学技術、文化、教育の状況を調査し、それを本国に報告する」ことを任務として明記、情報収集を重要な任務としている。日本は、実態はともあれこうした露骨な書き方は控えている。中国の任務には「軍事情報」の文字は見られないが、ここに書くまでもないことである。

日本の外務省は、世界の国々を計196か国としている（2021年時点）。これは日本が承認している１９５か国に日本を加えた数で、どの国も自国が承認しなければ国の数に入れないから、国によってその数は様々だ。例えば、北朝鮮は１９３の国連加盟国の１つだが、日本は承認していないので、１９６か国の中には入っていない。逆に、北朝鮮にとっても日本は未承認国だから国の数には入らない。

では、中国にとっての国の数はどうなるだろうか。それは１９７か国（２０２１年時点）で、日本が承認している国に北朝鮮を加えた数になる。うち、中国が大使館を置いている国は１６９か国、領事館を置いている国は96か国。特に大使館の設置割合は86％にも上り、その数は世界第１位である。ちなみに、アメリカは大使館を１６８か国に、領事館を88か国に置いている。日本はそれぞれ１５３か国、65か国でフランスに次いで世界第４位である。

中国の大使館員・領事館員は日ごろから現地及び周辺国の公館と協調して、地域の対中関係や当該国に関する政治や経済、文化、軍事などの多方面の各種情報収集活動を行っている。程度の差こそあれ、日本もアメリカも同様の業務を行う。しかし、中国の特殊性は、指導的地位にある政治家や実業家、研究者、マスメディア、ジャーナリストが中国について批判的かどうか、何が弱点かなどについての情報までほぼ掴んでいると言われる点であろう。

このように、在外公館が多いことは、日常的に濃密な外交や宣伝活動を可能にし、迅速に各国の情報を集められるのが大きなメリットだ。つまりは、世界一の在外公館数は、中国を世界一の情報収集国家に押し上げ、自国の宣伝を可能にしていることを示しているのである。しかも、在外公館の主要役職員や専門家は現地言語に堪能で、通訳なしで業務や私生活をこなせる能力を持ち、彼らも中国特有の非常に強力な武器となっている。

国境を接する14か国との協調

世界で最も多い陸の国境を持つ中国。その総延長は2万2117キロメートルで、陸地で接する国の数はモンゴル、カザフスタン、キルギス、タジキスタン、アフガニスタン、パキスタン、ネパール、ブータン、インド、ミャンマー、ラオス、ベトナム、北朝鮮、ロシアの14か国である。

そのうち特に相互の関係が深い国は、北朝鮮、ロシア、パキスタンだ。それぞれ、北朝鮮とは「血の同盟」、ロシアとは「善隣友好協力条約」、パキスタンとは「全天候型戦略的協力パートナーシップ」という関係を結んでいる。そのほかの11か国についても、国境未確定地域（カシミール）があるインドと南シナ海紛争問題を抱えるベトナムを除いて、比較的安定した関係にある。

国境を接する多数の国の中で、中国の経済力と軍事力は群を抜いており、友好関係にある大国ロシアと協力することで、存在感と実際の影響力が一段と高まっている。特に中国が力を入れる一帯一路政策と絡めた地域内安全保障、資源確保、高速交通網整備、水資源配分、再生エネルギー網整備、地域間食料確保政策は、隣人をまずは味方につけるために格好の地政学的効果があり、それが次第に成果を上げてきている。中国やロシア、カザフスタン、タジキスタンなど隣接6か国による上海協力機構や、中国・東南アジア国際高速旅客鉄道、中欧高速貨物鉄道の建設・開通などもアメリカや日本にはできない事業として実を結んでいる。

拒否権数最少のウラ

中華民国に代わり国連の議席を得た1971年、中華人民共和国は中華民国に代わって安全保障理事会（以下「安保理」）の常任理事国の1つともなった。

安保理には中・米・ロ・英・仏5つの常任理事国のほか、任期2年の非常任理事国として10か国が参加している。そこではそれぞれの決議が9票の賛成で成立。しかし、常任理事国のすべてが賛成する必要があり、1か国でも反対すれば、14票の賛成があっても成立しない。これは拒否権と呼ばれている。

それでは、5つの常任理事国はこれまでに、どれほど拒否権を行使してきたのだろうか。中国が議席を得た1971年から2020年8月までの投票結果を国連のデータで確かめると、5か国いずれかの反対（拒否権行使）で否決された議案は141だった（棄権行使を除く）。そのうち中国が反対したのは16回で全体の11・3％にとどまる。うち13回はロシアとの共同反対で、残りの3回（2・1％）が中国単独の反対。反対数は合計ではフランスと同数だが、単独では最少だ。それらのほとんどは中東問題に関する議案、つまりは、シリア政府に不利な議案やイスラエルとパレスチナ和平問題に関する議案で、イスラエル側が有利になるよう進めるアメリカに対抗したものだ。

この反対回数は安保理議案の全体数からすれば非常に少ない。まさに、中国首脳がことあるごとに発する「国連主義」、つまりは国際紛争を国連の場で解決する外交方針を体現しようとした結果である。一方で、同時に秘めた思惑もあろう。それは、アメリカが国連無視の軍事行動を頻繁に行ってきたことに対する非難姿勢と、「国連主義」をかざすことで自身の行動の正当さを国際世論にアピールし、自らへの支持を得ようとする思惑である。ちなみに、最も反対回数が多いのはソ連時代を含むロシアの118回だった（83・7％）。

また、日本およびドイツの常任理事国入りや拒否権の廃止といった、安保理改革には否定的な態度を崩さないだろう。世界の5大国の1つという地位や安全保障問題処理をめぐる主導権を絶対に離さないスタンスは死守するはずだ。世界の現状と国連システムとの間には多くのズレがあるが、中国にとって今の国連システムは自国の政治・経済体制の外せない要素なのである。

さらに、国連システムは世界制覇国家となるための手段の1つにも組み込まれているだろう。例えば、安保理5大国における中米G2基軸体制の構築、アメリカに次ぐ分担金の拠出、FAO（国連食糧農業機関）やUNIDO（国連工業開発機関）といった国連機関のトップ就任、自らが国連加盟途上国の一員でその擁護者であるかのような言説、国連機関からの台湾の締め出しといった台湾孤立化政策への取り組みは、中国の世界制覇のための巧みな国連利用とも見られている。

レアアースを武器にした資源外交

２０１２年、尖閣諸島の国有化をめぐって中国政府が日本を非難、日本の領海内で巡視船に「中国漁船」が体当たりしたことで、海上保安庁が同船の船長を逮捕した事件を覚えているだろうか。そのとき、中国はＷＴＯのルールを破って、レアアースの対日輸出を大幅に制限した。

これは、レアアースがなければ日本の先端技術メーカーが非常に困ることを知る確信犯的な行為だった。真っ先にその論陣を張ったのは、知日派といわれる日本研究者たちである。以後、なんらかの政府間対立や意見の相違が生まれる度に、レアアースは中国の盾として使われている。

レアアースについては、事実上中国が世界を支配していると言っても過言ではない。世界全体の生産量のうち中国は約６割を占める。アメリカや日本、ヨーロッパなどの先進国はレアアースの代替技術開発にしのぎを削るが、なおその完全代替は実現されていない。

そうした状況の中、中国政府はレアアースを戦略資源と位置づけ、資源調査の結果は国家機密となっている。さらに、「レアアース管理条例」を定めて（２０２１年３月）、資源管理から輸出管理まで、つまりは川上から川下までを一貫した政府管理の下に収める政策に切り替えた。世界市場で重要性がますます強まる中で、レアアースについては対外的な国家独占政策を取ったのである。これは、自身が恩恵を受けてきたＷＴＯの理念に明らかに抵触することになり、なりふり構わない行為だと各国から糾弾された。

しかし、それほどにレアアースは、中国の発展にとって重要な外交的資源でもあるのだ。日米両国政府が２０２１年４月の首脳会談で、レアアース調達経路の確保を日米安保体制に組み入れたことからもそれは分かるだろう。自国経済の発展のために、中国がレアアースをどう扱ってきたかについては次の章で詳しく説明しよう。

第5章　経済分野

中国の地位を大きく引き上げ「中国モデル」を完成させた経済分野の世界制覇は、先端の技術と巨大な国内消費力、海外輸出市場の獲得を通じて実現されたものだ。その背景には、中国の偉大さを喧伝《けんでん》する中華の再興意識と中国式社会主義はアメリカ資本主義に打ち勝つという自信がある。

経済指標で見る中国

総産出高が示す世界最大の経済規模

２０１７年、中国の総産出高は34兆ドル（当時のレート：１ドル＝６・７元で換算）に達し、世界最大規模となった。同時期のアメリカもほぼ同額（34兆６０００億ドル）なので、大相撲で例えれば、中国は西か東の横綱に昇格したようなものだ。

２０２１年になると、中米の総産出高は逆転。中国が42兆ドルに対してアメリカは40兆ドルと、はっきりと差がつき始めた。35年には中国の１１０兆ドルに対してアメリカ62兆ドル、50年には中国の２２６兆ドルに対してアメリカが１０４兆ドルと、中国がダブルカウントで圧勝する見込みとなっている。

企業の規模を計る一般的な指標は売上高、銀行なら預金残高か資産総額（貸出＋投資証券＋その他資産など）だ。ある企業の影響力が売上高の大小で示されるのが多いことからも、実感していただけるのではないだろうか。これらはその企業が儲かっているかどうかとは無関係である。

では、国レベルの経済規模の大小を判断する尺度は何かというと、それは総産出高だ。総産出高とはノーベル経済学賞を受賞したワシリー・レオンチェフが開発した経済分析方法で、原材料などの「中間投入財」価額にＧＤＰに相当する「粗付加価値」を加えた概念である。誤解を恐れずに言うと、企業の大小を示す指標の１つである名目売上高と同じようなものだと考えてもらえれば十分である。ＧＤＰよりも経済活動の入口から出口までの規模を知る上で大事な指標である。

中国はこの総産出高が世界最大なのである。これは何を意味するのかと言えば、世界経済がアメリカではなく中国を基軸に回っているということである。

アメリカの背中をとらえたGDP

次に見るのは定番のGDPだ。GDPは企業に例えれば税引前利益に相当し、優良企業経営の規模の大きさを表す非常に重要な指標である。

中国のそのGDPは、著名なイギリスのシンクタンクであるCEBR（経済・ビジネスリサーチセンター）の予測によると、2035年に実質で約35兆ドルに達する見込みだ（アメリカは26兆ドル、図表1-1、33ページ）。これは、21年の15兆ドルの2・3倍である。同時期の名目GDP世界シェアも中国が世界全体の26・1％を占め、19・3％で2位のアメリカを大きく引き離す見込みだ。まさに鰻上りの成長である。1995年は日本のGDP世界シェアが17・5％なのに対して中国はわずか2・4％だったが、10年に日本の名目GDPに追いつくと、その10年後には日本の3倍以上になり、さらに10年後の30年には、その差は5・5倍にも広がるのである。

GDPは前述の通り各国を企業に例えれば税引前利益に相当する。つまり、このGDP予測は、中国が世界最大規模の業績を上げる企業へと成長し、世界の企業（国家）の業績を左

図表5-1　資本係数が示す中国の急速な産業の効率化

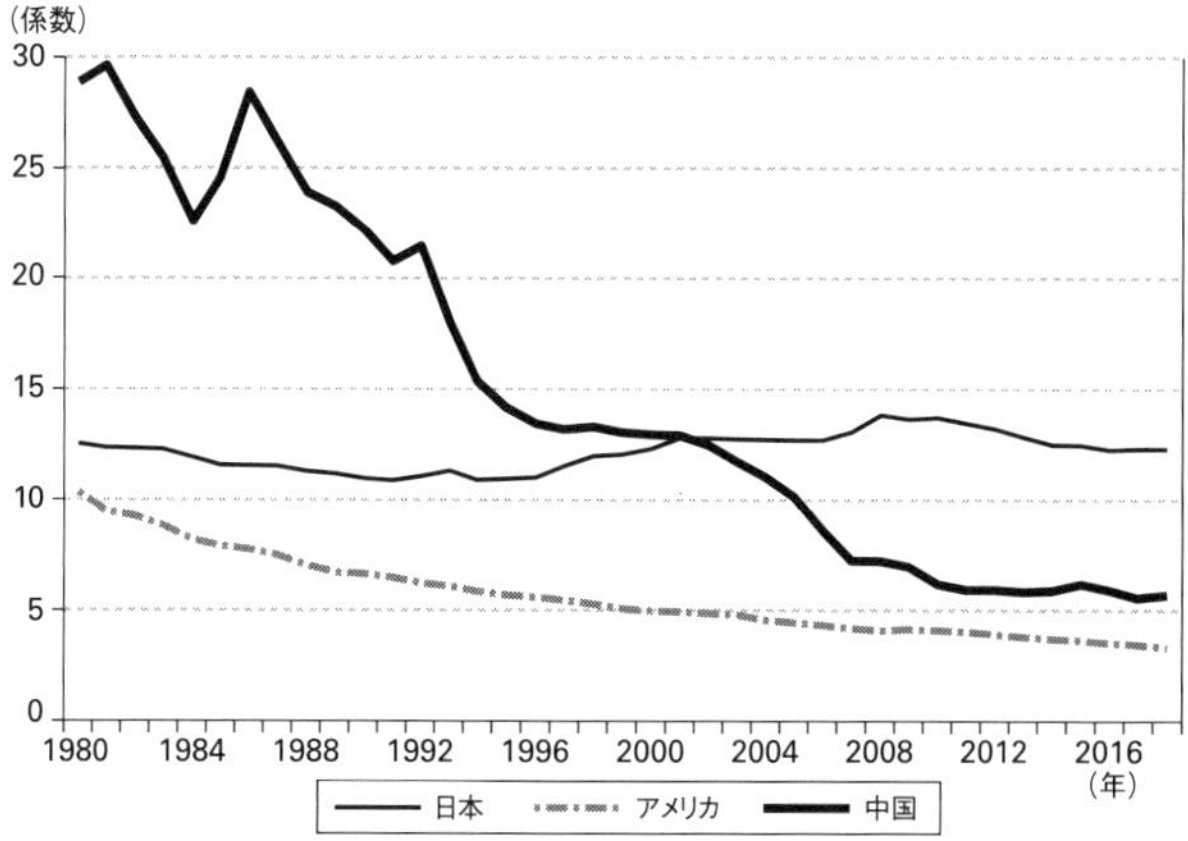

出典）Federal Reserve Economic Data のデータをもとに作成

右する最も大きな影響力を握ることを示しているのである。

アメリカを抜く資本効率

中国の資本の利用効率についても見てみよう。平均資本係数を用いて、アメリカと中国を比較すると、中国の資本効率が急激に向上していることが分かる（図表5-1）。資本係数とは、GDP1単位を作るのに必要な資本の量のこと（資本現在高／GDP）で、数字が小さいほど高効率であることを示している。

もう少し詳細に見ると、1980年を起点に中国とアメリカは長期的な低下傾向を示し、特に中国は、80年頃の30から2018年には6未満へと急峻な崖を下るように、資本係数

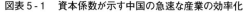

を低下させた。今後もこれまでのトレンドからはさらに下がることが予測される。

それにひきかえ日本は、長期間12～11の間で低迷。中国やアメリカと比べると、同じGDPを生み出そうとする場合、両国の倍の資本量が必要となる。日本も技術革新が進み、産業の効率化が進んでいるように見えて、それはごく一部の企業のことであり、全体では躍動感溢れる収益増加構造にはなっていないのである。

こうして、日本がその場で足踏みをしている間に、中国は走るかの如く古い設備を次々と更新し、産業設備全体をダイナミックに高付加価値を生み出すものに置き換え、製品を世界に出荷するモデルに変貌してきた。これが、GDPの飛躍に一役買ったことは言うまでもないだろう。中国の資本効率の高さは今後も世界の資本を中国に向けさせ、資本投資面における高効率の中国モデルの確立を牽引するものとなろう。

吸収された5500兆円のGDP

日本企業にとって、中国は産業部門も消費部門も利益の上がりうる可能性を持った国で、事実数万社の日系企業が進出し、最大の貿易相手国でもある。

かといってプラス面ばかりを見て、その負の側面を見落とすのは問題だ。

日本政府の統計によれば、日中貿易は日本の赤字。その理由は、日本が中国で日系企業や中国企業などが作った付加価値の高い製品・中間製品を輸入する一方で、中国に対して付加価値のあまりない材料や中間製品などを中心に輸出しているからである。高いものを買って安いものを売れば、赤字になるのは当然であろう。

また、日本が国際競争力を失った食品や衣料、生活雑貨などの安価な商品が洪水のように流入したことは、移転できない日本の工場と雇用をも奪ってしまった。今後は、電気自動車やその高付加価値部品、高性能の半導体などの先端技術製品の大量の流入が起こる可能性がある。中国の更なる発展が日本の働き手の明日を一層暗いものにしてしまうかもしれない。

そして、この現状をより大きなスケールで俯瞰すれば、日本の経済発展力が中国に吸収されたと見ることも不可能ではない。ここでいう「吸収」の意味とは、日系企業の中国への工場移転による日本国内の産業空洞化、移転した企業の巨大な中国市場を前にした生産規模拡大（その分、日本にあったはずのGDPは中国へ移転）、日系企業が獲得できたはずの対中輸出の縮小もしくは消滅、中国移転企業が日本国内に作り上げていた関連産業や産業集積の縮小もしくは消滅である。中国経済の拡大は、このような移転企業や対中輸出企業、廉価な商品の輸入業者には恩恵を与えたが、日本国家サイドから見ると価値生産の縮小を招いたことも

図表5-2　日本の失ったGDPと中国が吸収したGDP

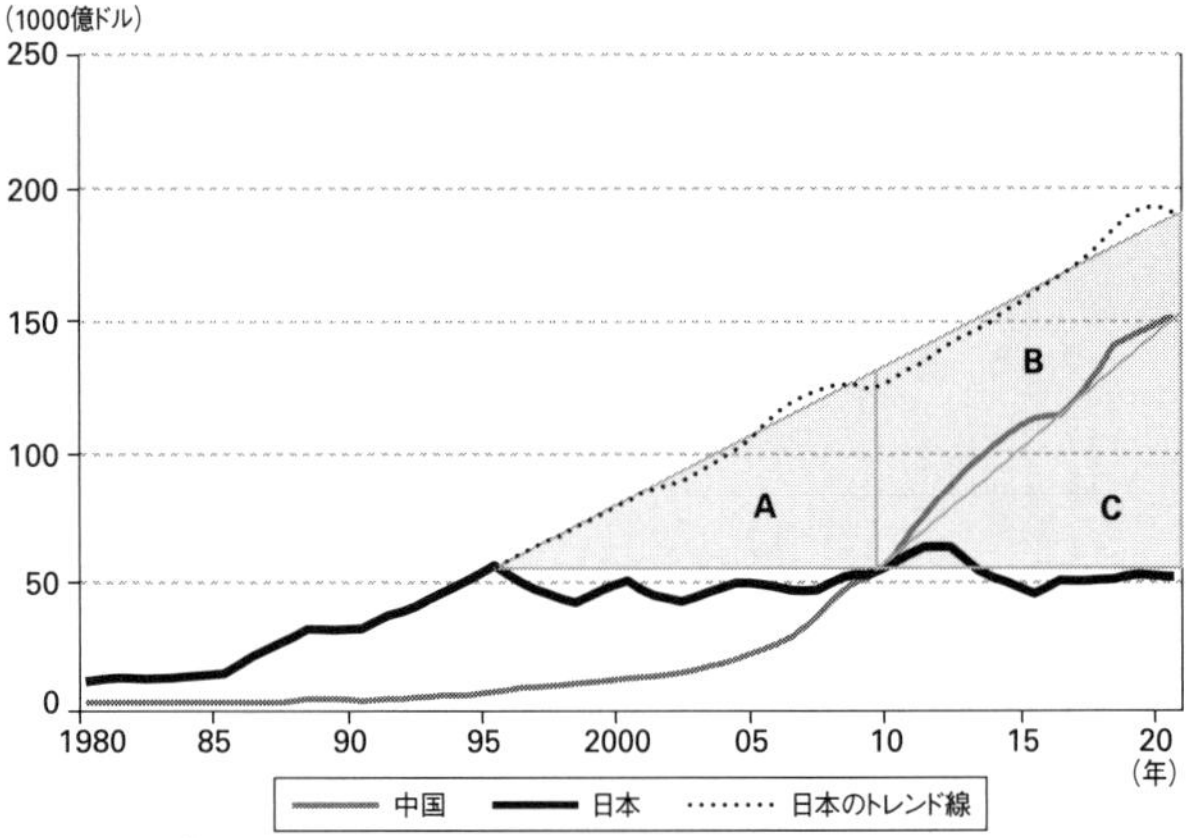

出典）Federal Reserve Economic Data のデータをもとに作成

事実なのである。ここには、「企業栄えて国滅ぶ」時代の流れを垣間見ることができよう。

中国のＧＤＰは日本を追い越した２０１０年代になると特に増えだした。一方、１９９０年代半ばから日本のＧＤＰ成長は、中国とは真逆に信じられないくらいに止まった。図表５-２を見ればお分かりになると思うが、日本のＧＤＰは黒い実線が示すように、横軸に対してほぼ平行するように推移している。経済発展が順調に進めば、ＧＤＰは90年代半ばから破線のように推移するはずだった。このありえた軌跡は日本がアメリカ並みの成長率を確保できたときのトレンド線である。

日本が「失った」ＧＤＰの合計額とは、すなわちこの図表５-２中の細長い三角形部分

（A＋B＋C）に相当する部分のことで、額にすれば最大で１８５兆ドル程度である。実際はそのすべてが中国の影響で「失った」日本のGDPということではなく、一定の部分がそれに該当するのではないかという仮説である。図表５‐２で示される日本のありえたGDPトレンドを参考にすると、筆者の見立てによれば、最大でその30％程度にあたる約50兆ドル（２０２１年の日本のGDPの10年分）が中国との経済交流で失ったGDP（C）である可能性がある。もちろん、失ったGDPのすべては日本自身に責任があり、中国側にとっては経済活動一般のルールに従って獲得した結果にすぎない。

１１３か国で最大の貿易相手国は中国

貿易において中国が最大のお得意先である国がいくつあるかご存じだろうか。その数は２０１０年時点で74か国。20年には１１３か国・地域となり、それまで世界一だったアメリカを抜いて世界の半分以上を占めるようになった（IMF）。参考までに日本の状況を紹介すると、10年は10か国だったが、20年になるとわずか１か国となり、劣勢は目を覆いたくなるばかりである。あまり知られていない貿易における日本の沈没は隠された真実の１つだ。

前述の通り、発展する世界貿易の中で中国のシェアは伸び続けている。2020年の輸出額は14・7％（ドル換算、IMF）、輸入額が11・5％で、合わせて13・1％と世界一だ。一方、同年の日本の輸出額は3・6％、輸入額7・2％の合計3・9％で中国に遠く及ばない。世界貿易2位のアメリカも輸出額は8・9％、輸入額は13・5％で、合計10・8％と、貿易赤字により輸入額は中国より高いものの、輸出額および合計額は中国の後を追う形となっている。

ここまで輸出額、輸入額、合計額で中国貿易を紹介したが、最も注目すべきは輸出額である。この値からは2つのことを読み取ることができる。それは、1つがモノの供給能力の大きさで、もう1つが経済面を中心にその国の世界的なプレゼンスの高さである。つまり、世界最大の輸出額は、中国のモノの供給力が他国を圧倒し、中国の強い経済力を示しているのである。

さらに、中国の輸出先が地球上に広く分散していることも忘れてはならない。図表5－3は地域別に日本、中国、アメリカ、ドイツの輸出額シェアを示したグラフで、これを見ると、南アメリカと中央アメリカ地域はアメリカが、各ヨーロッパ地域はドイツが中国を上回る以外は中国の輸出が圧倒的なシェアを誇っていることが分かる。（2016－2020年の平均

図表5-3　主要国の地域別輸出額シェア

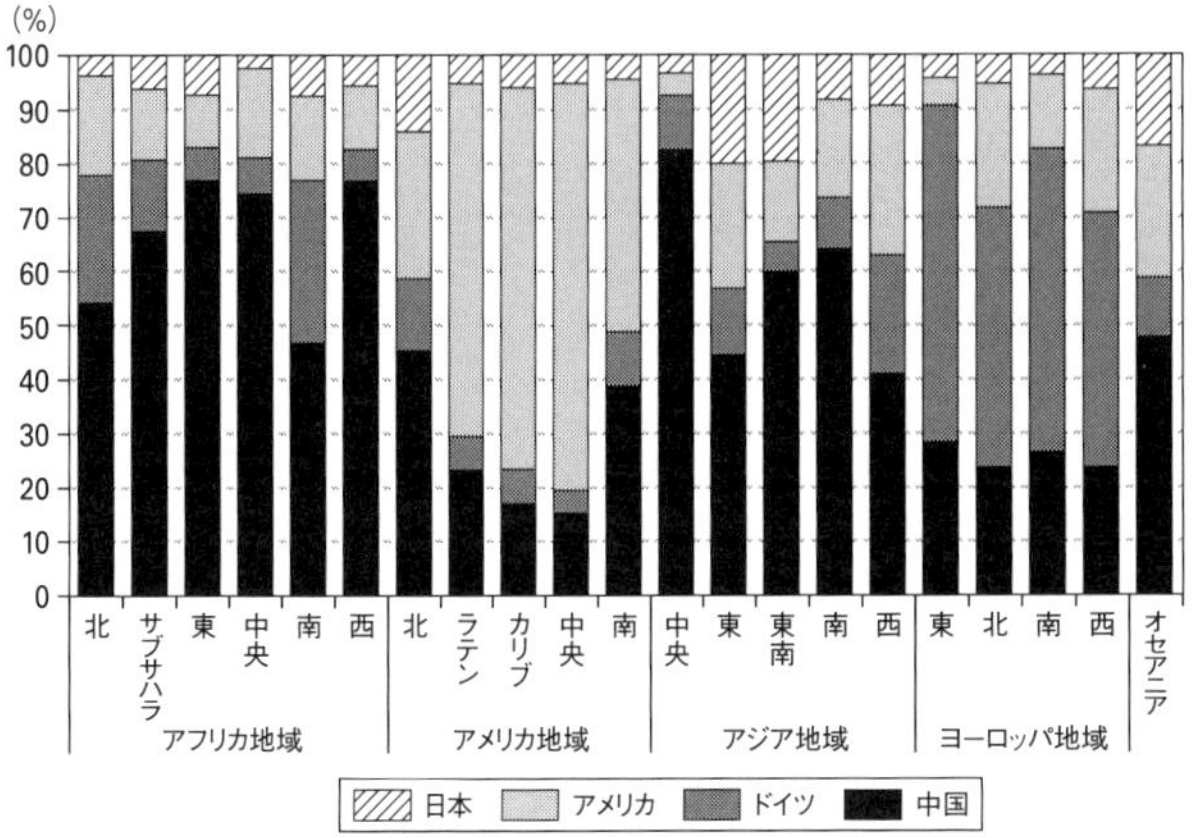

出典）Federal Reserve Economic Data のデータをもとに作成

値、ＵＮＣＴＡＤ統計）。まさに、世界の貿易は中国を中心に回っているのである。

　これにより、仕様や使い方などに中国モデルの詰まったメイド・イン・チャイナの資源と製品が世界隅々へと普及し、徐々に中国抜きの暮らしや産業活動がままならない国も増えるだろうが、分野を超えた中国の世界まるごと制覇に道を開く意味がある。

世界のトップ4を占めるメガバンク

　１９９０年の中国経済のＧＤＰ規模は日本の約８分の１、アメリカの約15分の１と小さかった。同年のメガバンクの総資産高トップ10にも中国の銀行は入っておらず、上位10行は上から順に住友銀行、第一勧業銀行、富士銀行、クレディ・アグリコル（フランス）、三和銀行、三菱銀行、バークレイズ銀行（イギリス）、ナショナル・ウエストミンスター銀行（イギリス）、ドイツ銀行、日本興業銀行。6つの日本の銀行がランクインし、懐かしい行名も居並んでいた。

それから30年。2020年の世界銀行地図は一変している。トップ10には中国工商銀行など中国の銀行が上位4行を独占。第5位から第8位にはモルガン・チェースといったアメリカの銀行がランクインし、第9位はイギリスのHSBC。第10位にやっと三菱UFJ銀行が入り、1990年代に名を連ねていた日本の銀行はほとんど消え去っている（The Banker）。

トップに躍り出た中国工商銀行は1984年設立。建設銀行、農業銀行、中国銀行が連なる4大国有商業銀行の1つである。従業員は約40万人で、口座数は810万。2019年の総資産高は日本の年間GDPに相当する30兆元（約465兆円）で、預金残高は12兆元（約186兆円）、貸出残高は9兆6000億元（約149兆円）と、年間利子収入だけで6070億元（約9兆4000億円超）を稼ぎ出す世界最大のメガバンクだ（同行財務資料）。習近平主席の信頼も厚く、「一帯一路100企業」の1つとして、中国政府と現地政府の金融上もしくは資金管理上の仲介業務を行っている。

一方、日本最大の銀行である三菱ＵＦＪ銀行は総資産高が３４８兆円、預金残高が２０２兆円、貸出残高は１０８兆円だ（２０２０年９月）。預金残高は工商銀行を上回るものの、貸出残高ではかなり下回っている。さらに決定的な差は総資産高で、工商銀行には一帯一路政策の推進中核企業として、東京やニューヨーク、ロンドン、パリ、マニラ、アブダビ、プノンペン、ワルシャワ、モスクワなど、海外主要21か国で１２９の支店が持つ資産が大きな役割を持っている。

中国は世界トップクラスのメガバンクをどの国よりも多く持っている。それは熊手のように海外の遊休資金をかき集め、それを国内外で融資もしくは投資財源として、借り手の多くのメインバンクとなって勢力を伸ばし、国際金融市場と実務界における中国モデルを広げるのに寄与している。その行き着くところは、先進国のメガバンクが経営不安を抱える中、中国の銀行なしには立ち行かなくなる国際金融世界の誕生であろう。

安心で便利な人民元へ

国際通貨としての地位を確立

アメリカドルとの為替レートを一定に保つドルペッグ制から、政府が介入することで為替変動を一定の範囲に収める管理変動相場制に移行した2005年から、人民元（RMB）の価値は上昇し始めた。04年は1ドル＝8・25元だったのが、21年6月には1ドル＝6・4元に。16年にはドル、ユーロ、円、ポンドと並んで、信頼性や値打ちがなければ不可能な、各国の通貨危機になった際の保険となるSDR（IMF特別引出権と言い、お金ではないが金および国際化した通貨と同様の機能を持つ決済資産）を構成する世界通貨の1つになり、その構成比率は10・92％と、ドル、ユーロに続いて世界で3番目に位置する通貨となった。すでに人民元が国際通貨の1つへと成長していることを疑う者はいない。「人民元圏」が登場する可能性を指摘する専門家もいるほどである（中條誠一『人民元は覇権を握るか』中公新書、2013年）。

通貨の信頼性や値打ちを決める要因は通貨の開放性（変動性）、GDP、貿易額、安定性、海外投資額である。このうち重要な要因は開放性とGDP、貿易額だ。どれも高いほど、通貨の信頼性や値打ちも高くなる。

開放性とは変動相場制をどれだけ実現しているかだと、ここでは理解してもらえれば十分である。この点で、管理変動相場制という不完全な状態に中国はあり、開放がやや遅れている。他方、GDPは間もなくアメリカとその80％程度の規模であるEUを追い抜く。さらに、2020年の貿易額はEUが11・4兆ドル、アメリカが4・1兆ドルだったのに対して、中国は4・6兆ドル。中国はこの時点でアメリカを抜いたのである。黒字幅も19年は4296億ドル。特に中国最大の競争相手アメリカとの貿易黒字は1994年以降毎年増え続けて2954億ドルに、対EUでも1132億ドルと巨額に達している（IMF）。

また、こうした貿易黒字の影響もあり、中国の対外準備資産は2021年12月時点で3兆4269億ドルと世界1位だ。その準備資産の内訳はIMFの統計によると、外貨が96％。そのほとんどは債券で、ドル資産をアメリカ国債に投資しており、（2019年時点で1兆90億ドル、アメリカ財務省）、ほかにケイマン諸島や香港などへの証券投資も7000億ドルに達する（IMF『国際収支と対外資産負債残高ハンドブック』2020年6月）。中国は主にアメリカ国債を買うことを通じて、稼いだドルをアメリカに還しているのである。

このドルを中心に準備資産を持つのは各国も似ており、2021年時点で準備資産としての保有が世界で最も多い通貨はドルで全体の60・5%、続いてユーロが20・5%、円5・9%、人民元については今のところ2・1%にすぎない。

しかし、人民元がSDRの構成通貨となったのは画期的なできごとで、準備資産としての保有比率が2016年の1・1%から、4年の短期間で2倍に膨張したことを見逃してはならない（IMF）。人民元の評価は各種の要因から今後高まり、各国が準備資産として保有する傾向が一層高まると見られる。

逆転する人民元とドル

アメリカドルを中心とする国際通貨体制が揺らぎ、ユーロは国際通貨として地域限定性が強い状況下で、第3の国際通貨はしばらく不在だった。それは、人民元がなお完全な変動相場制に移らず、基本的にはドルを基軸とする通貨体制に依存してきたからだ。

市場実勢に沿った人民元の為替相場のためにも、人民元の完全変動相場制への移行、海外との資本取引の自由化は急務である。

人民元による資本取引とは、海外へ投資する際の人民元の持ち出し、海外での人民元による資金の貸し借り、海外の株式市場や債券市場への人民元による投資、人民元による貿易決済、日本のすべての金融機関における円と人民元の自由な交換、円や人民元による対中・対日送金の自由化などのことを指している。

こうした国際間の資本移動を可能にするためには為替取引の自由化、すなわち変動相場制と金利自由化が連動する必要がある。国際間の資本移動による大きなインセンティブは内外金利差であるが、アメリカが金利自由、中国が金利規制という状況では市場は活性化しづらい。

完全な変動相場、資本取引の自由化、金利の完全な自由化というこの3つはこれまで実現されないで困ってきたが、中国もいよいよこの普遍的原理の船に乗る時が近づいているかもしれない。市場は、人民元高の長期化により国際決済手段へと至る動きが一段と進むことで、弱いドルをさらに弱くする可能性を見ているのだ。今後、中国経済が圧倒してアメリカ経済が凋落することで、人民元とドルの地位逆転が起こることは決してないとは言えないだろう。

デジタル人民元の野望

人民元に関してはその急速なデジタル化も忘れてはいけない。国内経済や貿易規模が世界一の中国が、デジタル人民元（DCEP）の発行を始めれば国際通貨事情は一変する可能性は高い。

2020年、中国は深圳《しんせん》市などの大都市での実証実験を終え、21年4月には、中国工商銀行など6つの国有銀行を通して、一般市民にデジタル人民元用のウォレットアプリをダウンロードするよう呼び掛けると、たちまち3億ダウンロードに達した。中央銀行（中国では政府機関の1つ）が、先行するIT企業のアントやウィーチャットと競合しながら、官製のデジタル通貨、デジタル人民元の普及に乗り出したとするマスコミもある（『ロイター通信』2021年4月、『朝日新聞』2022年2月1日）。こうして政府が前面に乗り出したことで、デジタル人民元は、中国のベースマネー規模を目標に勢いよく拡大。ほかのデジタル通貨を駆逐して、膨張し続けるとみる向きが多い。ベースマネーとは、中央銀行である中国人民銀行が世の中に直接的に供給する現金のことを指す。

この勢いは、世界通貨体制を揺さぶる一面もある。すでに東南アジアや中央アジアの一部の国では人民元決済が日常化しているが、今後の世界金融・経済の舞台でも、人民元建て決済比率は大幅に増える可能性がある。

デジタル人民元は、ある国が中国と貿易決済を行う場合、中国との間で設ける人民元相互信用枠内（一種の人民元スワップ）であればドルを無視して即座に決済が済む仕組みだ。東南アジアや中央アジアの一部の国では紙幣の人民元が国際通貨として流通しており、デジタル人民元が紙幣に置き換わる形で進入。これらの地域では中国主導によるデジタル通貨が拡張する糸口を与える。このことは中国がデジタル通貨モデルで世界をリードしていることを意味しよう。

今後もこの勢いは収まらず、総ＳＤＲに占める人民元比率は20％を超える可能性が高い。もっともデジタル通貨制度の普及が進めば、ＳＤＲ制度自体が今のようではなくなり、強いデジタル通貨に成長したデジタル人民元に対する世界の依存が強まるかもしれない。

一方、ドルの基軸通貨体制が不滅だとするアメリカは、デジタルドルの導入の検討にさえ立ち遅れた。アメリカには、ドル基軸体制は永久に潰れないという一種のおごりのようなものがあったかもしれない。アメリカの資産運用会社であるダブルライン・キャピタルは「パンドラの箱の中央銀行デジタル通貨」（２０２０年10月）というレポートで、次のようにアメリカに流れるデジタルドル消極論を浮き彫りにしていた。

デジタル通貨（ＣＢＤＣ）はインフレのゲームチェンジャーになる可能性があり、世界の中央銀行は細心の注意を払って進めることだ。デジタルドルを発行すると、パンドラの箱が財政的にも金銭的にも意図しない結果を招く可能性がある。

デジタルドルに関するアメリカに漂うこうした消極論や悲観論は、中国と比べてその後の展開を決定づける、あまりにも大きな誤算だった。最近ではパウエルＦＲＢ議長が、ドルが基軸通貨から脱落する懸念を示し、デジタルドルの採用を本格的に検討する旨の発言や前向きの報告書を公表するなど、消極論を払拭する動きも見られる。その背景には、中国のデジタル人民元が予想以上に先行している危機感があることは言うまでもないだろう。

世界最多の企業数と海外展開

法人企業数が多いことは、様々な業種・規模の製造業やサービス業を営む企業が巨大なピラミッド状に存在することを意味し、世界で通用する人材の豊富さ、企業間競争による技術発展、豊富な資金力の確保、政策的支援体制の充実度などを向上させていく上で大きな原動力となる。

では、中国にはどれくらいの企業があるかというと、法人企業数は2020年時点で2939万社だ。日本の法人企業数が約350万社であることを考慮すると莫大な数であり、世界でも第1位の企業数である。各業種が占める割合は多い方から順に、卸売・小売業が28・6%、製造業が13・1%、建築業が6・5%、科学・技術研究業が5・9%。産業構造は、第1次産業が6・2%、第2次産業が20・1%、第3次産業が73・6%と、第3次産業が圧倒するというすでに先進国型だ。中国政府はこのすべての企業のデジタル化を進めることを決定している。

企業数の構成比を2011年と比較すると、卸売・小売業、建築業、科学・技術研究業が増加した一方で、製造業の大幅な減少が際立つ。この背景には製造業企業の統合による規模拡大、全国津々浦々に浸透したサービス産業、マンションやオフィスビルの需要・供給の膨張に伴う建築業などの拡大があった。

見逃してはならない点は、3・0%から5・9%へと増加した、AIやEVなど先端技術をリードするために重要な科学・技術研究企業の増加だ。政府主導による科学・技術強国への期待とそのための制度改善が功を奏した。政府系の中国科学院をはじめ、各省庁が傘下に持つ科学・技術研究機関を中心に、民間企業を抱き込んだ科学・技術振興政策体系が完成したのである。

一方で、中国の企業法人数の中には日本やアメリカ、ヨーロッパとの合弁企業など、多数の外資系企業も含まれている。例えば、中国駐在の日本の現地法人数は、経済産業省調査によると、製造業4004社、非製造業3750社の合計7754社だ（「海外事業活動基本調査」2018年）。中国にある外資系企業数は、2018年には96万1000社と、13年から倍増したともされている（『中国産業経済情報ネット』2019年10月29日）。

もちろん、海外進出する中国企業数も負けてはいない。

中国企業数が世界で最も多いことは、それだけ海外進出する企業数も多いことを意味する。2020年までに2万8000社が海外企業の合併や現地法人の新設、合弁企業設立などを行い、189か国におけるその数は4万5000社にもなった。企業の総資産は7兆9000億ドルに上っている。海外で雇用する現地人は約200万人、現地政府に支払った企業法人税は2020年だけで600億ドルに上るようだ（中国商務省）。

進出した189か国の中国企業の関わり方は様々で、中国企業の存在感が乏しい日本から、中国企業なしに立ち行かないアフリカ諸国、今後EVの現地生産工場を建設する予定の東南アジアやアフリカまで、その濃淡が激しい。他方、東南アジアやアフリカ、南米、中米といった中国企業の多い地域では、中国式の企業経営モデル、すなわち中国人トップの下、中国人管理職と中国で研修を終えた現地人中間管理職の布陣を敷き、そこに現地単純労働者を低賃金で雇用するモデルを作りあげている。以前は場当たり的で有名だった中国式経営は、アメリカ式を下地とする中国式トップダウン経営モデルを作りあげ、各地に広まりつつあるようだ。残念ながら、一世を風靡《ふうび》した日本式企業経営モデルは見る影もない。

流れ込む世界のマネー

現在、アジアの株式市場の中心は東京から上海へと移動し始めている。この背景には、中国経済の継続的な成長によって上海株式市場が、内外からのマネーゲームの世界的拠点に成長してきたことがある。端的に言えば、中国経済の成長によって世界中のマネーが、ブラック・ホールさながらに吸い込まれているのだ。中国株式市場では新規上場株が毎年80から100程度あり、多いときは400社を超えることもある。

一方、スタートアップ企業にかぎらず資本調達方法が多様化したことで、資本市場は分散化する傾向が世界的に強まっている。特に上場以前の企業にとって、民間ファンド市場は株式市場を脅かすほどの成長をとげている。これは中国でも例外ではない。

中国では企業を起こして巨万の富を築いた後に企業経営に進出する一方で、再度、投資活動にビジネスを広げる例が多い。徐小平《じよしようへい》（真格基金）、熊暁鴿《ゆうぎようこう》（IDG資本）、沈南鵬《ちんなんほう》（紅杉資本）、張穎《ちようえい》（経緯中国）などがその好例だ。彼らは中国で著名になった多数の企業に投資し、その成功報酬を再投資しながら投資家人生を送るチャイナ・ドリームを制した勝ち組だ。そして、彼らは成功者のほんの一握りにすぎず、実は、中国では数え切れない数の個人投資家が投資先を求めて暗躍している。下は小金をため込んだサラリーマンから、上は個人年収が50億円を超える富裕者まで。中国の強みは、この様々な属性を持つ内外の投資家の層の厚さと幅の広さである。中国株式市場が成功者の資本調達を支えるのに対し、こうした投資家が、これから成功を目指す起業家や企業に資金を提供する役割を果たすことで、中国のスタートアップ企業を助け続けてきたと言えるのではないか。

中国では世界から流れ込んだマネーが循環している。世界の資本は高利潤を求めて中国に集まっている。それは中国投資が儲かるからであり、またその持続性に自信を持てるからだ。しかし、金融や保険、不動産、株式上場など、まだ外資に完全に開放していない分野が中国にはあり、完全な開放が期待されている。見方を変えれば、なお中国には巨大な儲けの機会が残されているとも言えるだろう。例えば、中国政府はついに2022年から海外メーカーが中国で自動車製造を単独でできるよう規制を撤廃した。これと同じことがほかの分野でも起こるはずだ。世界でだぶつく資本を中国が吸収し再生産する国際投資モデルの第2幕が開く日も近い。

食料輸入超大国

ここまでは、中国にとって強みとなる分野を紹介してきた。しかし、すべての分野において中国が勝っていることはない。むしろ簡単には解消できない弱みも中国は抱えている。経済分野の最後には、その1つである食料不足とその質の問題について取り上げよう。

中国政府はどの国も公表をためらわないどころか、国民に向かって積極的に公表する食料自給率を隠匿し続けている。過去に公式な数字を発表したことすらない。

巷間《こうかん》では、95%という数字がひとり歩きしている。そこで、筆者が国連のデータから試算してみると、カロリーベースの自給率は2000年に94%と、確かに噂の数字に近い値が算出された。ただ、これはすでに過去の数字である。19年の自給率は試算の限りでは、78%にまで落ち込んでいるのだ（「週刊エコノミスト」２０２１年3月30日、『日経新聞』同年４月5日）。その後もこの傾向は続いている。

食料自給率の低下は食料輸入が増えたためだ。特に、大豆、トウモロコシ、小麦などの穀物類や豚肉、牛肉といった肉類の増加が目立つ。これは、人口の増加、農村家族の減少や結束力の弱体化、農産物国際競争力の低下、農地の劣化、家畜伝染病、気候危機、飼料供給の弱体化、畜産農家の減少、国産農畜産物の質の問題などが主な理由と考えられる。

消費量に対する生産量の不足は輸入に頼らざるを得ない。ここで、中国が食料確保の面で世界に影響力を持つというのは、必要量が桁違いに大きく、その量がいくつもの食料不足国の食料を合わせたものよりも大きいからだ。

例えば、食料不足に悩むアフリカのうち、アルジェリア、エチオピア、ケニア、イエメンの小麦・コメ・トウモロコシの不足量は合わせて２３７５万トンであるが（２０１８年）、中国はその４倍以上もの穀物を輸入している。すると、食料を輸入に頼る国は、輸入したくともできない、できても価格は吊り上がって外貨負担が大きくなるという問題が波及してくるのだ。

世界銀行によると東アフリカ、南アフリカ、サブサハラ・アフリカに住む20～24％が食料欠乏人口だ。後発開発途上国においては人口の19・2％、世界では9・2％がこれに当てはまる。さらに民族紛争や内戦、他国との戦争や紛争で生まれた難民のほとんどは、最低限の食料にもありつくことができていない。

戦争や紛争がなくとも、気候危機や農業生産条件が乏しいため、食料不足に陥っている国は少なくない。増え続ける世界人口や一部の途上国の所得水準の上昇は、世界に少なくとも3億～4億トンの穀物不足をもたらしている。

もちろん、世界の食料不足の責任を中国だけに押しつけることはできない。しかし、中国の農業・農民を軽視する長い伝統が背景にあることがその一因であることも疑いない。中国の工業優先政策は中兼和津次氏の指摘通り、農業を犠牲にしてきたのだ（『中国経済発展論』有斐閣、１９９９年）。

気候危機や農業生産条件の劣化などから、中国の食料生産はすでに頭打ちになり（『日本経済新聞』２０２１年4月5日）、一部では減少に転じている。

事実、海外依存はさらに拡大し、世界の新規在庫の半分を占めるほどの在庫積み増しに走ることもあるなど（『日本経済新聞』２０２１年12月19日）、世界の穀物市場に与える影響力は一段と大きくなっている。また、改善されてきているとはいえ、農薬や食品添加物の使いすぎによる危険性はなお不安視されている。農産物・食料品貿易が拡大する時代において、早急な解決が求められよう。

第6章　科学・軍事分野

デジタル時代をリードするようになって、中国の科学技術は世界中が目を見張る進歩を遂げ、今やこの分野の中国モデルを完成させつつある。軍事力の強化は持って生まれた中国共産党のDNAといっても過言ではなく、日本軍や国民党との激しい抗争の中で生まれ、戦火の中で生き延びてきた。そのDNAは今後も消えることはないどころか、世界制覇を目指して自己増殖を繰り返すのではないか。この章では、そんな中国の科学技術や軍事分野についてみていこう。

豊富なレアアースが促す技術発展

重レアアース独占

レアアース（レアメタルと同じ）はEVや宇宙産業、映像光学といった先端技術開発などに欠かすことのできない資源だ。中国は、アメリカ経済を追い抜くための有力手段の１つに、このレアアースを位置づけている。

一口にレアアースと言っても自然界には約２５０種類の鉱石があるといわれ、一般的には17種類の元素をレアアースとすることが多い。これらは軽レアアース系と重レアアース系に大別されている。

軽レアアース系は原子番号が小さく質量も小さい。すでに創薬や半導体の電子部品の開発などに利用されており、代わりとなる資源はあまりない。ただ、その利用方法は十分に開発されておらず、今も様々な検討が行われている。

一方、重レアアース系は原子番号が大きく質量も大きい。国策もあって国有企業である中国希土集団が重レアアース資源の70％を握っており、石油産業における触媒製造、光ファイバと光ディスクに使われる光学ガラス、植物の光合成を促進する薬剤など、幅広い分野で使用されている。例えば、ジスプロシウムというレアアースはＥＶ製造に不可欠な素材となっている。

中国は、これら17種類のレアアースすべてを生産できる唯一の国だ。２０１９年には世界生産量の63％を占め、アメリカの12％、オーストラリアの10％を大きく引き離している

（『イオン性レアアース情報略報』２０２０年第10号）。特に、軽レアアース系が世界各地で生産されるのに対して、重レアアース系は中国の南方が世界生産の大部分を占める。また、他国原産のレアアースはレアアース元素が含まれる度合いを示す純度が中国産の数分の１から数十分の１と、その質も中国が勝るようだ（「世界の資源」２０１２年第４号）。つまり、事実上世界のレアアースは中国が独占していると言っても過言ではなく、中国にとって戦略的資源の１つとなったのである。中国の情報によれば、生産量に加えてレアアース資源の推定埋蔵量も世界の42％を占め、第２位はブラジルの17％であるようだから、中国の座は今後も揺らぐことはないだろう。

豊富なレアアースがもたらすもの

前述の通りレアアース資源が豊富な中国は、見込みのある新技術には率先してレアアースを配分して技術開発を推し進めてきた。宇宙産業、電気自動車、通信技術、人工知能、創薬といった先端技術分野ではすでに日本を追い越し、アメリカを猛追。レアアースを起爆剤に、２０２０年代にはほとんどの技術でアメリカを抜き去るとも見られている。

何といってもレアアース資源国は強い。特定の技術分野ではレアアースに代わる素材を開発しようとの例もあるが、技術的に可能でも現段階ではコストや素材としての使い勝手の良さからレアアースに勝るものはないと言われている。中国は今後も、世界の希少資源であるレアアースを優先的に利用して新しい製品と技術の独占を狙うだろう。特に先端技術の固まりでもある宇宙科学技術にはすでに、その成果が現れ始めている。

例えば、２０１６年に中国はアメリカやロシアができなかった世界初の量子科学衛星（墨子号）の打ち上げを成功させた。この衛星は、量子を用いた次世代通信技術を確立するために作られた実験衛星で、すでにその実験に必要な地上設備を世界各地に建設している。ほかにも21年の４月には、レアアースを惜しみなく投じた長征シリーズのロケット（打ち上げ回数は年間55回を超え、世界一）が、「天宮」と名づけられた中国初のしかも単独の宇宙ステーションの建設に向けて、「天宮」のコアモジュールである「天和」に物資を運んだ（スペースニュース、２０２１年４月29日）。22年の完成を目指しているという。

このように中国の宇宙開発の勢いは、豊富なレアアース資源も一因となって止まるところを知らない。宇宙法に詳しい慶應義塾大学大学院教授の青木節子氏はこの点を強調しながら、中国は「宇宙覇権」を狙っているのでないかと、疑問を呈されているほどである（『中国が宇宙を支配する日』新潮新書、２０２１年）。

図表6-1　急増する中国のEV生産台数（2021年）

（単位：万台、％）

		12月	前年同月比	年間	前年比
EV　合計		51.8	120.0	354.6	159.5
EV乗用車	純電動車	40.5	121.7	276.1	178.8
	ハイブリッド車	8.3	162.4	59.8	133.5
	合計	48.8	127.7	335.9	169.5
EV商用車	純電動車	2.9	41.0	18.1	58.3
	ハイブリッド車	0.1	38.6	0.3	−20.2
	合計	3	42.1	18.6	55.4

出典）中国自動車工業協会資料をもとに作成

日本にも広がる中国製EV

気候危機の深刻さから、各国の自動車メーカーはカーボンニュートラルの1つとしてEVの開発・改良を推し進めている。もちろん中国も例外ではない。2035年までには、新車販売のすべてをEVにする方針だ。この流れを受けて自動車メーカーはもちろん、スマートフォンで有名なファーウェイやシャオミなど非自動車メーカーの参入も進む。そして、ここにも中国の豊富なレアアース資源は惜しみなく投入されているのだ。世界の希少なレアアースを中国が独占する強みである。図表6-1は21年における中国のEV生産台数を示しているが、同表からは次の内容を読み取ることができる。

①　12月の国内生産台数は51万8000台で前年同月比12

0・0％増加。

②年間生産台数は354万6000台で、前年比で159・5％増加。トヨタのEV製造計画を10年早く達成済み。

③生産台数の大部分は乗用車で、年間生産台数の94・7％を占める。

④EVのうち電力だけで走る純電動車の生産台数は全体の83・0％で、ハイブリッド車の生産台数は前年と比べて増加したが大きく増える見通しにはない。

世界の生産台数の正確な資料はないため推測の域を出ないが、内外の様々な調査機関がはじき出している2020年のEV世界販売台数は300万台程度。生産台数と販売台数がほぼ一致すると仮定すると、中国はこの年137万台を生産していたので中国シェアは46％だったことになる。中国の21年の生産台数はその倍以上だが、20年の比率をそのまま用いると、約半数は中国製のはずである。

中国のEVは電池の容量といった性能で分類した場合、大きくマイナーEVとメジャーEVの2つに分けることができる。

マイナーEVは後に説明するメジャーEVよりも性能が2〜3ランク落ちるが、低価格が売りだ。安いものは1万5000元（約24万円）程度。そのおかげでガソリン車やメジャーEVに手が届かない所得者層も、無理せずにモータリゼーションの波に乗ることができる。

一方、メジャーEVはいくつもの最新技術を積んだモデルで、中国では第一汽車の紅旗「E-HS9」（価格80万元：約1440万円）やBYDのEV「漢EV」（同23万元：約410万円）がその典型例だ。電池交換式EVや全固体電池開発などEVにおける中国の技術進歩はめざましく、広州自動車系列のメーカーは1回の充電で1000キロメートル走行可能なEVの量産も始めた（『朝日新聞』2021年11月20日）。この性能は日本車や欧州車のレベルを2倍以上も上回るものだ。

こうした中国のメジャーEVは、2010年代初めから大型バスや4トン・トラックで普及し始め、今や自家用車にも浸透している。22年の新車発売モデルは200を超えると言われ、普及台数は世界一である約800万台という（新華社、2022年1月12日）。

そして、見逃してはならないのが、中国製EVへの関心が日本でも高まっていることだ。例えば、佐川急便は広西汽車集団が製造する小型貨物EVを7200台発注（『日経電子版』2021年4月13日）。その後もSBSホールディングスなどが1万台の小型トラック輸入を決め、前述したように商用EVを先頭に第一汽車やBYDの高級乗用EVも日本に輸入されているのだ。

世界シェア8割の5Gスマホ

日本はキャリア自身に設備網を敷く体力がないのか、アメリカと同じく需要が細いからなのか、5Gスマホへの移行が遅れており、普及率は20%にも満たず、政府もあまり関心がない。しかし、すでに世界は5G時代に入っている。中国の5Gスマホ普及率は70%を超え、世界の5Gスマホシェアは40%に迫ろうとしているのだ（2021年）。

中国の技術はどんどん先を行く。2021年には世界に先駆けて、旅客機内での通信を可能にする5G用のATG（Air To Ground）システムの実用化を開始（『暁説通信』21年5月24日）。この技術を実用化したのは、まだ中国以外にはない。

5Gスマホの生産量も中国は圧倒的だ。2020年の全世界生産台数は3億2600万台であるが、そのメーカー別シェアを見ると、ファーウェイが1億2490万台（38・3%）、バイボが5750万台（17・7%）、オッポが5670万台（17・4%）、シャオミが3900万台（12・0%）で上位を中国企業が占め、ようやくこの次にアップルの3610万台

（11・1％）が続き、残りのその他が1150万台（3・5％）となっている（IDCによる）。つまりは、中国メーカーが世界シェアの85・4％を占めるのだ。

ファーウェイの製品はアメリカや一部ヨーロッパから排除されているが、世界市場はさらに大きく、その中心には巨大な中国市場が構えている。むしろ危ういのはアップルの方で、中国市場からの締め出しが可能なほど国内のシェアは小さい。中国がアップルの締め出しをしないのは、国内に大がかりなサプライチェーンを形成しているアップル製品向けの部品・組立工場が存在しているからだろう。フォックスコンやキャッチャー・テクノロジーがその代表的なメーカーに当たる（いずれも台湾メーカー）。これらのメーカーが消えることは中国にとっても痛手となるはずだ。

ただ、中国にはこれらに代替できる技術も資本も十分にある。むしろ、アップルが5Gはもちろん、今後成長するであろう6Gを対象とした中国市場を失うダメージの方がはるかに大きいだろう。もはやどのメーカーも、中国のメーカーと市場を無視することはできないのである。

先頭行く量子コンピュータ

従来のコンピュータとは比べ物にもならないほど高速計算を可能にし、現代技術の最先端ともいえる量子コンピュータ。実用化はまだまだ先だと言われながらも、数多くの企業や、時には政府が主導しながら日夜開発競争が行われている。

印象に残っているのはグーグルが開発した「シカモア」（愛称）だろう。2019年に発表されたこの量子コンピュータは、最先端のスーパーコンピュータ（以下、スパコン）で1万年かかる計算を3分20秒で終わらせたとして、当時は大いにコンピュータ業界を騒がせた。覚えている人もいるのではないだろうか。このニュースで、量子コンピュータ開発はグーグルが一歩先んじていると感じた人も少なくないはずだ。

ただ、中国のコンピュータ関連の先端技術開発を担う頭脳集団の執念は凄まじかった。中国科学院・中国科技大学は、研究の中心となる中国量子情報科学国家実験室の建設をスタート（2020年に完成）。研究体制を強めて開発に取り組んだのである。政府による投資額は総額1000億元（約1兆8000億円）に上る見込みだ。

そして、早くも2020年に完成させたのが、「九章」と名づけられた量子コンピュータだった。その計算速度は、日本のスパコン「富岳」が6億年かかる計算をたった200秒で終える。グーグルの「シカモア」と比べても、100億倍の計算速度だ。

さらに、中国は「九章」に続いて、2021年には「九章2号」の開発にも成功した。演算速度はスパコンの10の24乗倍。「九章」と比べて100億倍の計算速度を実現したという。まさにグーグルやIBMを遠く引き離す快挙だった。

古典的なコンピュータを利用した場合、創薬において初期薬物候補分子を探すのには10万個の化合物をスクリーニングする必要があると言われ、しかもその成功率は0・1％から0・01％の間と、気が遠くなるほどの手間とコストがかかる。ところが、量子コンピュータを使うとどうなるだろうか。一説には、スクリーニング効率を90％以上高め、大幅なコスト削減ができるという。こうした想像を絶する効率化を得られることもあり、様々な分野で量子コンピュータへの期待は高まっている。

ただ、冒頭でも述べた通り、量子コンピュータの活用を実験室から幅広い生活シーンへ移行するには、かなりの時間がかかるとも言われている。「九章」シリーズが成功させたのは、ごく一部の計算問題であり、量子コンピュータで様々な計算を解くことができるかは、さらなる検証も必要なはずだ。中国もそれは理解しているだろう。ただ、それでも中国は、第14期5か年計画によれば2035年までに量子コンピュータの実用化を謳っているのである。

中国が量子コンピュータ開発競争の先頭集団にいることは間違いない。これからも日進月歩の勢いで開発は続いていくだろう。

人工知能トップランナー

中国のテック企業の巨頭であるBATS（バイドゥ・アリババ・テンセント・シナ）だけでなく、スタートアップ企業や中国のシリコンバレーと呼ばれる北京の中関村の頭脳集団は恐ろしい。起業して成功すると、次々に人工知能産業の担い手となっているからだ。彼らはアメリカの技術や競争相手すら駆逐する勢いを持つに至った。もちろん、中国の人工知能分野を有利に導いたのは彼らだけではない。広西科技大学や清華大学といった大学から、大疆創新科技（DJI）や上海天数智芯半導体といった企業まで、挙げれば切りがない。

そして、彼らには共通する強みがある。それは、事業が有望と判断したら投資を惜しまない、多数の投資家がバックに控えていることだ。アリババを支援した孫正義もその1人だ。

ほかにも環境的な要因として、スマホやパソコンブームの波に乗れたことや、人工知能やデジタル化を世界に先駆けて推進した政府の方針が浸透したことで、地方にまで幅広い発展のための体制が整っていたこともあるだろう。

例えば、人工知能関連企業が集う上海市や浙江省《せっこう》の近くには、総投資額が15億元（約270億円）にも上る南京江心州人工知能研究開発本部基地が建設される予定だ。これは国家プロジェクトであり、その目標は人工知能に関する研究や投資、人材育成などの機能を統合することで、人工知能開発の革新源になること。人工知能に関する実践的な教育訓練が行われ、その有利な立地条件を生かして、複数の大学・企業などが人工知能技術を核にした新興産業の開発にも取り組むことになっている。同様の機能を持った基地はほかにも、杭州人工知能実習基地や国家人工知能先端技術産業基地などがある。

こうした基盤の上で、中国では様々な分野で人工知能の活用が行われている。最後に、この人工知能分野で中国が先駆けて特許申請を行った例を紹介しよう。

○人工知能自動駐車とその装置（広西科技大学）

しばしば大規模商業施設では駐車場が慢性的な不足に見舞われる。これを避けるため、このシステムは一帯の駐車場ごとの空車の位置・数を監視することで、駐車可能な場所を車載モニター上に示して誘導する。この装置は店舗駐車、住居駐車双方に適用され、路上駐車を解消することに貢献すると考えられている。一見何の変哲もない技術のように見えるが、空き駐車場の有無と場所を示すだけの従来のアプリを改善、駐車場内部の空き駐車スペースの場所に誘導する斬新な機能が加わった。

○人工知能によるブロックチェーン金融予測システム

金融機関のみならず金融投資や金融財務分析を行う際に、ビッグデータや専門のツールを用いて金融財務時系列データを扱う業務が広がっている。この予測システムは、必要なデータを抽出し、ブロックチェーンの記録を保存、これを通じて財務予測モジュールを取得することで、時系列データを予測するものである。金融は産業活動や消費活動、政府や中央銀行の金融政策で突然変化する、企業にとっては最も予測しにくい分野だ。ビッグデータ解析を伴う人工知能は、これを調整、有効化する能力がある。

アメリカの調査会社であるトラクティカ社は2030年の世界人工知能市場を3671億

ドルと試算した（2022年1月）。中国は2017年の「第1世代人工知能発展計画」で、30年には人工知能市場が国内だけで1兆元（1560億ドル）、世界シェアの42％になるという成長予測をしているが、順当にいけばこの目標は達成されるだろう。今後も世界の人工知能分野は中国を中心に回っていく可能性が高いが、この点を最も恐れているアメリカに中国に追いつく余力があるのかどうか。おおいに気になる。

中国が産業用ロボットで生きる道

産業用ロボットの定義を皆さんは知っているだろうか。実は世界共通の定義があり、AIや自動化がトレンドである現代ではやや古く感じるが、経済産業省による定義を要約すると、『センサー、人工知能、制御機能、駆動機能』を持ち、『ロボット工学三原則』を遵守、例えば人間の指揮によって稼働するもの」とされている。

ではそんな産業用ロボットが世界にどれくらいあるかというと、国際ロボット連盟（IFR）のデータでは、2019年時点で272万台が自動車やエレクトロニクス、医療といった幅広い分野で稼働しているという。

中でも最も稼働台数が多いのは中国だ。その数は78万３０００台。２０１６年から約２・2倍も増加しており、第2位である日本の35万５０００台、第3位である韓国の30万台を大きく引き離している。さらに、年間の新規稼働台数が最も多いのも中国で約14万台。これは全世界の新規稼働台数28万２０００台の約半分を占め、世界一の産業用ロボット大国である。今後も、世界先端の産業用ロボット政策の導入を決めるなど、生産年齢人口の縮小と質の高いブルーカラーの不足などで賃金の上昇は不可避なことから、産業用ロボットの普及はさらに加速すると見られている。

さらに、産業用ロボットの新規稼働台数だけでなく、生産量でも中国は世界一である。ただし、ここで注意が必要なのは、その生産の大部分を支えているのがファナックや安川電機、川崎重工といった中国に生産拠点を持つ日本メーカーだということである。上位に位置する中国企業は中国科学院傘下の新松のみで、中国メーカーはなお未成熟と言ってよいだろう。

その意味で、中国では純国産ハイエンドの産業用ロボットメーカーの育成が急務だ。ただ、この分野は豊富な技術基盤とブランドがものをいう世界であり、後発のメーカーが、すでに高いシェアを占めている海外勢を押しのけていくことはたやすいことではない。

そこで中国は、日本メーカーが既存分野での成功に満足しているうちに、それらは海外メーカーに任せて、まだほかのメーカーが進出できていない分野への参入を目論む。

その1つが半導体製造ロボットだ。例えば、極小クラスの半導体製造工程において、ISO（国際標準化機構）の定める清浄度クラス1を上回る半導体搬送ロボット分野は中国の独壇場なのである。

また、これから伸びていく分野は介護用ロボットだろう。日本と同様の認定割合で今後中国の要介護者が増えると、65歳以上人口のうち要介護認定者数は2020年には8000万人、50年には2億7000万人に達すると見込まれる。こうした未来から、無人介護用ロボットは旺盛な需要に支えられて普及していくだろう。

世界制覇をうかがう半導体

半導体とは

続いて、中国で飛躍的に向上した科学技術の1つと言える半導体について見ていく。「半導体」という言葉自体は聞いたことのある人も多いかと思うが、それが具体的に何を指すのかは曖昧であることも多いため、まずは半導体の仕組みと産業構造について概観しておこう。

半導体は大きく分けて3つの部分からできている。情報を貯めておくメモリー、そのメモリーから必要な情報を引き出したり、新たに取り込んだ情報を処理する装置、そして、これらを1つにまとめたパッケージだ（組み立て）。これはCPU（中央演算処理装置）と呼ばれるが、慣習的に「半導体」とも呼ばれている。本書でも「半導体」とはこの意味で使用している。パソコンなどの性能を決める〝頭脳〟のようなものだと考えてもらって差し支えない。

半導体を造る工程もまた主に3つの部門から成り立っている。1つずつ挙げると、半導体の素材や性能を設計する部門、その設計に基づいて半導体などの部品を製造する部門、それら部品を設計図に従ってパッケージする部門だ。これらすべてを自社で行う企業はIDMと呼ばれ、ほかに製造装置（工場）を持たない設計専門の企業（ファブレス）や、注文製造だけを担う企業（ファウンドリ）がある。

半導体は時を経るごとに世界の企業がしのぎを削ってその性能を向上させてきた。現在、各メーカーはいかに集積回路を小さくするか、いかに基板の素材を改良するか、いかに半導体を構成する優れた部品（トランジスタやダイオード）を集積するか、いかにより高性能な3D構造（3DIC）を実現できるかに、苦心している。

官民一体の戦略

では、中国の半導体産業はどんな状況であるかというと、ＣＰＵをはじめとする半導体製造に必要な分野全部をカバーしており、急速に進められる国産代替キャンペーン、つまりは輸入依存を極力下げて国産半導体に置き換えようとする官民一体の運動とあいまって、世界の半導体製造拠点への脱皮を目指している。

半導体産業の世界制覇を目指し、政府が本気になって振興策を展開し始めたのは２０１４年頃からだろう。15年には、25年までに半導体の自給を70％に引き上げる「中国製造２０２５」を発表。有名な「国家集積回路産業開発投資基金」を設置し、以後は１０００億ドル以上を投じて官民を巻き込んだ半導体産業の振興策を本格化させた。その結果、半導体産業のすそ野が広がり、アメリカ半導体産業協会によれば、半導体メーカー数は21年に全国で１万５０００社に達したという。その中には海思《かいし》半導体（ハイシリコン）や竜芯中科技術（ロンソン）、中芯国際集成電路製造（ＳＭＩＣ）、芯和半導体科技（Ｘｐｅｅｄｉｃ）など、成長を遂げて世界の舞台に躍り出ている企業もある。

このままいけば、目標に掲げた「２０２５年までに自給率70％」も達成は難しくないはずだ。中国国家統計局によれば、21年の中国の半導体生産量は3594億個、20年と比較して33・3%も増加。21年の市場規模は、中国半導体業協会によると1361億ドルに達し、世界半導体市場統計（WSTS）による世界市場規模が約5530億ドルであることを考慮すれば、中国は世界市場の約25%を占めたことになる。同統計はアメリカの市場規模を1311億ドルと見ており、これらの調査を見る限り、21年には中国が世界一に躍り出たのである。

こうした中国における半導体分野の急激な成長は、アメリカによる中国製品の締め出しや対中輸出の激減による影響を受けて、自給体制の確立を急いだ結果でもあるだろう。これからも、中国は半導体製造拠点としても市場としても一層拡大することは確実と見られている。

中国半導体産業の成果

中国の半導体業界の画期的な成果と言えるのは、国産の命令セットアーキテクチャ（ISA）を開発したことだろう。長大なカタカナ言葉に面食らってしまうが、簡単に言えば、これはCPUを実際に動かすための指令をまとめたものである。ローマ字入力でキーボードの「A」を押した時に「あ」と入力されるように、様々な指令に対してどのような動きをすればいいのかが、まとめられているものだと想像していただければよいだろう。

この命令セットアーキテクチャは長い間、決まったメーカーのものばかりが使われてきた。イギリスのARMホールディングスが作った「ARM」や、インテルの「X86」である。半導体製造にはどうしてもこのISAが必要なため、各企業は高いライセンス料を払っている。

もちろん、それは中国も例外ではなかった。ところが、2020年4月、中国メーカーの1つである竜芯中科技術がついに中国独自のISAである「ロンソンアーキテクチャ」を開発したと公表したのだ。すでに既存のISAとの特許侵害の有無を確認し、リリースの段階に至っているという。

このISAが世界市場を席捲するかどうかと聞かれれば、まだ分からないというのが正直なところである。世界には高額なライセンス料を必要としない「RISC-V」といったオープンソースのISAもあるからだ。

ただ、中国は独自の使い勝手の良いもののプレゼンスを高めていこうとしている。そういう意味でロンソンアーキテクチャは半導体を使うあらゆる産業や製品の中国化を実現する一歩となることは間違いない。すでに、ロンソンアーキテクチャを使った自社製品も販売しているという。

世界のトップに追いつくために

一方、半導体分野の様々な技術で、中国が世界と肩を並べたかと言えば、まだそうとは断言できない。アメリカ半導体産業協会などによれば、半導体における世界の主要メーカーは、垂直統合メーカー（ＩＤＭ）であればインテル（アメリカ）、設計専門のメーカー（ファブレス）であればブロードコム（アメリカ）やＡＭＤ（アメリカ）、クアルコム（アメリカ）、ＡＲＭ（イギリス）といったように、ほとんどをアメリカおよびイギリス企業が占めている。

そこで、中国は2段階に分けた戦略で最先端の技術に追いつこうとしている。その主役が前述の海思半導体、中芯国際、芯和半導体などである。

第1段階は、インテルやサムスン、ファウンドリであるＴＳＭＣなどから数世代遅れたローエンドの半導体で世界シェアを握ることだ。半導体は、部品を詰める回路の幅が狭いほど、同じ面積でもたくさんの部品を載せられるので性能が上がる。ここで言うローエンドモデルというのはおおよそ回路幅が15から３００ナノの製品を指す。

第2段階は、第一段階で得た新技術と巨額の資金を基に、ハイエンドの5ナノやその先の1ナノ製品を開発することだ。例えば、つい最近まで中国トップのファウンドリである中芯国際集団の主要なチップは14ナノであったが、アメリカ半導体産業協会は２０２２年1月のレポートで、アリババやバイドゥなどが5～7ナノのCPUを作り、中国の半導体が驚くべき進化を遂げたと報じている。

しかし、世界と比べると中国の成果はやや霞んでしまう。IBMは2021年に世界の先頭を切って最小の2ナノの開発に成功（『CNN.CO.JP』2021年5月7日）。ほかにもTSMCやサムスン、インテルなどは3ナノの製造に着手しているのだ。まだ、中国の半導体の完成品レベルは世界の背中を追いかける形と言えるが、その距離は急速に縮まっていることを忘れてはならない。

近未来の中国半導体

それでは、これから中国は半導体分野で先頭に立つことはできるだろうか。筆者は、そう遠くない未来で実現可能だと考えている。というのも、中国で半導体開発を進める上で有利な環境ができつつあるからである。主な理由をそれぞれ見ていこう。

1つ目は半導体の製造を担う装置の市場で、前述の通り中国が世界第1位になったことだ。2020年に中国は台湾を抜いて、18・72％という世界最大のシェアを誇る半導体製造装置市場となったのである。これは半導体を作るメーカーインフラが世界最大になったということであり、世界最大の半導体製造拠点につながると考えられる。

2つ目は最先端の半導体を作る上で必要な、酸化ガリウムといった中国が独占できそうな集積回路基板となる素材の開発や設計技術の進化が生まれ始めていることだ。冒頭で半導体の性能向上のために、いかに3次元的な構造にするかに焦点が当たっていると説明したが、中国の芯和半導体はアメリカのシノプシスというメーカーと組んで、3DIC設計プロセス全体のプラットフォーム形成を世界で初めて公表した。

また、中国科学院上海マイクロシステム研究所は2021年7月に、世界に先駆けて光学系素材の集積化や軽量化でニーズのある、物体の移動距離や物体の高さ・厚み・幅などを3次元で測定する「超高感度変位測定」を提案し、サブナノ（1ナノ未満）のセンシング（センサーで測定する技術の総称）を実現した。これは半導体分野にも応用できる可能性のある成果と言われる。サブナノ技術開発は日本でも取り組まれてきたが、なお製品化には至っていない。

こうした事実から、中国の半導体産業の発展可能性は極めて大きいと、筆者は考える。第3世代の先、第4世代の半導体開発において中国は世界の頂点で戦っているかもしれない。

比類なきビッグデータ量

ビッグデータは内容が豊富で規模が大きいほど価値が高く、その一手掌握を通じて情報管理者の効果的かつ迅速な事業展開に利用できる。その点、中国はとても恵まれているだろう。というのも、ＩｏＴの拡大によるビッグデータの多くはインターネットから収集されるが、中国では少なく見積もっても11億人がＰＣやスマホで国内外のネットにつながっているからだ。政府のインターネット規制がなければ、良質なビッグデータの宝庫とすら言えるかもしれない。

実際、ＩＤＣによる統計では、２０１８年の世界全体のビッグデータ規模が33ＺＢ（ゼタバイト：１ＧＢの１兆倍）であるのに対して、中国は最多となる７・６ＺＢ（23％）を占めた。アメリカは７・０ＺＢ（21％）で第２位だ。中国が通信速度と通信量の拡大をストップしない限り、この差は開き続けるだろう。ＩＤＣの見通しでは、25年になると、アメリカの30・６ＺＢに対して中国は48・６ＺＢで、その差は18ＺＢにも達する。その後も増え方に変化がなければ、50年には、中国のビッグデータ量が２００ＺＢに対してアメリカは１３０ＺＢと、その差は70ZBにも及ぶことだろう。

ビッグデータ活用が中国社会にどのような恩恵をもたらすのかというと、それは、より正確で効果的な経済・金融予測、デジタル市場分析、海外のあらゆる情報を利用した政治・経済・軍事などの戦略の構築であろう。

ほかにもビッグデータの活用は庶民の日常生活の中にもある。その一例は中国全土に2億台はあるといわれる監視カメラによるデータ収集だ。それぞれがネットワークにつながり、生活情報の把握と分析、交通違反車検挙、強固な顔認証システムを通じた治安維持や犯罪捜査の現場でも重宝されている。一方、庶民にとっては個人情報とともに公共の場で素顔をさらされるという、プライバシーの侵害も無視できない。

そんな中、2021年11月に施行された「個人情報保護法」は個人情報の価値を一段と高めるだけでなく、情報収集に制約が及ぶ面もある。しかし、ビッグデータ自体は増え続け、それに様々な企業が価値を見いだしている現状では、いくらでも法の網目を潜り抜けて情報を集める方法が編み出されるだろう。

世界一の再生エネルギー発電量

各国はカーボンニュートラルの時代に向かって動き出したが、最大級の二酸化炭素を排出する電力供給源をどうするかという点は人類にとって半永久的な課題だ。そこで、かねてから注目が集まるのが、太陽光や風力、水力といった再生可能エネルギーを用いた発電である。

国際再生可能エネルギー機関（ＩＲＥＮＡ）によると、日本の２０１９年の総発電量は１兆４５０億キロワットに上るが、その約70％は石炭や石油といった化石燃料、６％強が原発に依存しており、再生可能エネルギーによる発電量は全体の16・６％である。ＧＤＰ世界一のアメリカも、総発電量４兆３９１８億キロワットのうち20％を原発に、63％を化石燃料に依存しており、再生可能エネルギーによる発電量は７８７８億キロワットで約18％と、現状では日本と大差はないようだ。

では、世界最大の発電国である中国はどうだろうか。総発電量はアメリカの１・７倍の７兆５０４５億キロワット。そのうち原発依存率は４・６％、石炭を中心とする化石燃料依存率は68％で、中でも石炭火力が多くを占め、その低減が大きな課題である。ただ、同時に注目すべきは再生可能エネルギーによる発電量である。その量は2兆1779億キロワットで、全体の26・8%、世界最大の発電量である。

特に中国の再生可能エネルギー発電を支えるのは水力だ。その量は1兆2725億キロワットで、日本全体の発電量に匹敵する。中国は伝統的な水力発電大国なのである。1基だけで、5400万世帯ひと月分の電力、約5億4000万キロワットを賄える三峡ダムは世界一の水力発電所だ。

さらに、中国は、2025年までに全国を9つの地区に分けて、それぞれの気候や地形に合わせて効率よく発電可能な風光一体化（1か所に風力発電と太陽光発電施設を併設）や風光火一体化、風光水一体化、風光水火一体化の発電所を設けることで、再生エネルギー発電の増加を図っている。計画ではこれらを中心に、20年に26・8%だった再生可能エネルギー発電量比率を25年までに50%以上、つまり総発電量のうち半分を再生可能エネルギーで賄おうとしている。

圧倒的なアンモニア生産量

合成アンモニア（NH_3）が初めて作られたのは1913年。空気中の窒素と水素を反応させたハーバー・ボッシュ法によるものだった。合成アンモニアの用途は大部分が農産物生産に欠かせない窒素肥料だ。そのほか、大気汚染物質である窒素酸化物を減らすための還元剤やナイロンなどの原料にもなる。

ところが、カーボンニュートラルが推進される過程で、石炭との混焼火力発電あるいは専焼発電（アンモニアのみを燃料とする方式）の原料や、次世代エネルギーとして普及する水素のキャリア（アンモニアの形で輸送して、移動先で燃焼させることで水素を取り出すこと）、さらにはディーゼルエンジンの排ガス削減剤などとして、新たな用途が開拓されたのである。

こうした中で、アンモニアの世界的需要はますます増加し、その争奪戦が起きるようになった。中国もその例外ではない。それまで中国は4735万トンという世界最大のアンモニア生産国で（2019年）、主な用途は窒素肥料だったが、カーボンニュートラルの普及とともに、国内ではディーゼルトラック向けの排ガス削減剤需要が急拡大し、世界的需要拡大に伴う価格上昇を背景に輸出方面の動きも活発となった。

だからだろう。中国では需要拡大とともにアンモニアの新しい製造方法の開拓競争も招き、この過程で世界先端をいく国の1つとなった。例えば、特殊な光触媒を利用した照明下でアンモニアを合成する光触媒合成法（浙江工科大学イノベーション共同研究所）は、そんな先端技術の1つであり、中国の特許権取得段階にも入っている（中国知識産権局）。

ちなみに、2019年の日本のアンモニア生産量はわずか85万トン（「生産動態統計年報」ほか）にすぎず、消費量の22％をインドネシアや中国などからの輸入に頼っている。日本のアンモニア需要も新たな用途の広がりとともに今後も増加するが、国内生産の増加には制約があり、アンモニア大国である中国などへ海外依存を高める方向に向かうだろう。

世界の研究室へ

質・量ともに世界一の自然科学論文

中国は「世界の工場」から「世界の研究室」に変貌しようとしている。

科学・技術の分野における中国の台頭を象徴する有力な指標は、学術誌掲載の査読つき自然科学論文数である。学術論文の使命は、新しい学説や知見などを伝えることだ。自然科学論文数が世界一の意味は、新しい科学に基づいて人類に貢献する技術を開発できる可能性が世界一になったということを示唆していよう。中国の自然科学論文数は２０１６〜18年平均で年30万６０００本と、アメリカの28万１０００本を上回って世界一を記録した（科学技術・学術政策研究所『科学技術指標２０２０』２０２０年）。その質も高く、ほかの論文による引用件数の多寡は論文の質を測る基準の１つだが、引用件数が上位10％にランクされる研究誌に掲載された論文数は中国が第１位だ（日本は第10位）。ちなみに、中国政府の情報によると、20年の自然科学論文数は約１９５万本（『中国統計年鑑』２０２１年版）となっている。

もう１つは論文の質だけでなく、中国発の学術誌の質の高さだ。中国の論文掲載誌は厳格に格づけされ、査読も厳しく、格づけがポイント制で区分されていて、ポイントの高い掲載誌は人気が高い。「ネイチャー」や「サイエンス」は別格であるものの、清華大学や北京大学といった国内の一流大学、中国科学院、中国工程院などが発行する数百の国家級雑誌や『核心期刊』と呼ばれる研究誌も評価が高い。

熾烈な掲載競争

なぜ中国の論文数が、世界一に躍り出ることができたのか。その理由は、大別すると以下の6つを挙げることができる（データはいずれも『中国統計年鑑』）。

①豊富な研究資金

中国の2020年の自然科学部門に属する研究開発資金投入額は3409億元（約5・5兆円）。うち政府資金は2847億元（約4・5兆円）で、政府による拠出が圧倒的に多い点が特徴だ。研究資金の最大の配分先は実用化研究で51％、応用研究が32％、残りの17％が基礎研究である。中国の自然科学研究の本流は、日本や欧米が重視する基礎研究や応用研究よりも結果を求める実用化研究だ。

②研究者間の激烈な競争

北京大学経済学院の場合、日本の准教授にあたる副教授から教授への昇格には、英文誌を含む一流誌への年2～3本の査読つき論文掲載が必須だ。副教授でクビとなる者はざらにいる。もっと言えば、一流研究雑誌に論文が掲載されなければ、副教授や副研究員の資格の継続自体が困難だ。教員も学生も学問的競争が比較的穏やかな日本の大学では、考えられないことだ。

③ **所属機関の指令に近い執筆奨励**
論文のない者は職場を去ることが原則だが、優れた論文が掲載されることは所属機関にとっての得点でもあり、その直属の研究指導者や上司にとっての得点でもある。だからこそ、研究者は上司から論文の執筆を促されることが多い。

④ **大学など研究機関間の競争**
研究成果の少ない大学・研究機関は淘汰される。中国では、いい学生といい教員は、いい大学に揃うと信じられている。だから、清華大学や北京大学の学生と教員も自分たちは一流だと自任し、せっせと論文を書く。

⑤ **研究費獲得競争**
大学は日本と違い研究費を配分する機関ではない。研究費は個人やグループ単位で獲

得し、潤沢な研究費で実験・研究を行えた者が良い論文を執筆する機会を得られるのが基本だ。中国の大学では実力のある者ほど多くの資金を集め、多くの弟子や大学院生が集まり、論文執筆に必要な実験を行うことができる。

⑥給与格差は当然

研究委託費などで稼ぐ教員や研究員がいればいるほど収入が増え、その機関や組織全員の給与水準が上がる仕組みだ。北京大学では学部によって教員の平均給与は異なる。そんな教員や研究員の人気はおのずと高くなる。徹底した新自由主義の世界だ。

以上の6点が、中国の自然科学論文数を押し上げた主な要因である。厳しい競争社会の上で日夜研究活動が行われているのが分かるだろう。中国の自然科学論文数世界一は、徹底した競争と成果主義が生み出したものだ。

国際特許権件数でアメリカを撃破

中国の知的所有権分野の突出した成長に驚かない者はいまい。２０００年の国際特許出願件数はアメリカが28万件、日本49万件で中国はわずか２万６０００件だったが、19年になると、その数はアメリカが52万件、日本が45万件なのに対して中国は１３３万件と、50倍以上に増えた。わずか20年で見事に中国は下克上を果たし、先端技術開発分野の世界トップクラスに躍り出たのである。

ただし、今挙げた数字はあくまで出願数であり、すべての出願が通るわけではない。国によって、特許権取得率には差がつくのが通例だ。では特許権取得数はどれくらいかというと、２０１９年はアメリカが31万件、日本28万件、中国40万件。特許権取得率はアメリカ59%、日本63%、中国30%であった。中国の取得率は日本やアメリカの半分程度であり、歩留まりが低いのは否めないが、結果的に中国は特許権取得数でも下克上を果たしたのである。これも中国政府の音頭の下、10年代頃から国を挙げて取り組んできた各界のイノベーション運動が実を結んだ結果であろう。

ならば、中国が特許権を伸ばしてきたのは、どんな分野だろうか。

国際特許取得機関（ＷＩＰＯ）は技術分野を35に分けた統計を公表している。そこで、各年の特許取得総数を１００として、２０００年と19年を比較することで、特許取得権の35分野の構成比の変化をみてみよう。

まずは、中国だ。比べると約20年間の間に電気機器や音声・映像、ＩＴ、半導体、光学、計測機、バイオ、ナノ技術、産業機械、熱処理、輸送といった18の分野で構成比が増えた一方で、医療技術や食品、素材、繊維といった９分野は減少した。ここから読み取れることは、２０２０年頃までの中国の技術革新は、増加したハイテク分野に属する18の分野が、減少した比較的ローテク分野に属する８分野と置き換わることで起きたということである。

続いてアメリカを見ると、増加したのはデジタルやコンピュータ、ＩＴ、医療、ナノ技術、エンジンなどの７分野のみで、22の分野は減少した。アメリカの場合、技術革新が少数の分野に集中する傾向が明瞭だ。技術革新という点で幅広い分野に手を広げている中国に対して、アメリカは開発資源の集中投下で対抗してきたようだ。

最後は日本である。日本はアメリカに似た分野で増加、減少した分野もアメリカに重なる傾向があった。ただ、中国やアメリカと異なる特徴は計量やバイオ、創薬、素材、食品、ナノ技術、化学、エンジンをはじめとする広範な分野でほぼ増減がなかったことだ。つまりこれは、日本には中国ほどの急速な先端技術の発展がなかったことを意味している。

ちなみに、以上は35分野の特許権取得件数の構成比の変化であったが、取得件数という面で捉えると、増えた分野は中国が20分野で、アメリカと日本はそれぞれ8分野、10分野にすぎなかった。

いかがだろう。中国の先端技術力の高さはもう明白ではないだろうか。中国の知財は海外の模倣だといわれることも少なくないが、それは、中国の本当の実力を知らない皮相浅薄な見方であろう。それよりも、中国の開発した知財や技術が、模倣しようにも模倣できないほど先端をいっていることに気づくべきだと思う。

アメリカと肉薄する軍事力

軍事力は、保有核弾頭数、空軍力、空母数などの面でいまだアメリカが優位だ（図表6‐2）。しかし、中国の軍事力スコア0・0691は、アメリカの0・0606に接近（0に近いほど強いことを示す）。空母配備を除く海軍力はすでに米中ほぼ並んでいる。これは、2

図表6-2　中国とアメリカの軍事力比較

項目		中国	アメリカ
国防費（億ドル）		1782	7405
兵員数（万人）		219	140
軍事力スコア		0.0691	0.0606
核兵器（発）		320	3800
空軍（台）	飛行機	3260	13237
	第4・5世代戦闘機	1146	1956
	攻撃専用戦闘機	371	761
	タンカー	3	625
	ヘリコプター	902	5436
	戦闘ヘリコプター	327	904
	空母キラー	DF21、26	—
陸軍（台）	戦車	3205	6100
	装甲車	35000	40000
	自走砲	1970	1500
	曳航砲	1234	1340
	自走式ロケット発射台	2250	1365
海軍（台）	空母	2	11
	ヘリ空母	0	10
	近代的駆逐艦	71	92
	小型軍艦	71	21
	潜水艦	79	68
	巡視船	123	13
	機雷艦	36	8
	極超音速各ミサイル	DF17配備	実験段階

出典）Global Fire Power 2021および防衛省『防衛白書』をもとに作成

010年代から西太平洋や南・東シナ海への進出を公然と行い、国際基準が示す中国の領海図を独断で描きかえる意図を持った海洋戦力強化の結果だろう。

ほかにも、核弾頭保有能力の増強はやまず、アメリカ国防総省が発表した2021年版の中国軍事力年次報告書では30年までに1000発になるとの予測が立てられている。これら軍事力強化の動きには、習近平主席が市民・農民と軍人を並走させる「軍民融合」政策の下、17年10月の第19回共産党大会で行った「２０５０年に世界一流の軍事大国になる」という宣言を実現する可能性が日に日に高まっていることを、いやが応でも実感させられる。

では、このまま中国が歩み続けた時、かの国の軍事力はどこまで進化するのだろうか。

ある予測では、２０１０年代に黎明期だった宇宙軍事化の本格化、サイバー攻撃やロボット兵器、極超音速ミサイル（ハイパーソニック・ミサイル）、電磁波攻撃などが実戦配備され、２００万人以上いた兵員はロボットへと変わり、50年には50万人にまで減るとの見方がある。

これらのうち戦略的・戦術的に最も効果的なのは、２０１６年にスタートした習近平主席肝入りの「宇宙強国」プランによる宇宙軍事化だろう。というのも、宇宙を「戦闘領域」や「作戦領域」と位置づける動きが中米ロを中心に広がっており、国境のない宇宙利用は軍事的優位性を争う上で決定的な手段になったからである。すでにその準備ができていることも、21年に実戦配備されたとアメリカ国家情報長官室が報じた地上発射型の敵国衛星破壊ミサイル、実用化された可能性の高いキラー衛星（衛星攻撃型衛星）、同年の独自の宇宙ステーション「天宮」の建設などからうかがうことができる。

そして、２０２１年11月にはこうした実績を基盤に、50年頃までに国防と軍隊を世界の一流に仕上げる戦略を実現するとした。アメリカに対抗する姿勢を改めて鮮明に打ち出したのである。

中国が世界に与えたミサイル・ショック

南シナ海を手に入れると、中国は北緯50度から北緯5度、つまり赤道の少し北までの空を自由にコントロールできる。気づく人はほとんどいないが、その意味は死活的に大きい。というのも、宇宙ロケットは通常東の空の方角に発射されるが、発射台の位置が赤道に近いほど、重くてもスピードの速いロケットを宇宙に向けて打ち上げることができるのだ。これは、大陸間弾道ミサイルも同じである。中国から見て東側へ進むルートの方が地理的に近いアメリカが、気が気でないのが分かっていただけただろうか。これに対して、アメリカは北緯50度から最南端で北回帰線（北緯23度）までという、中国よりも幅の狭い領域しか利用できない。

さらに、2021年に公表された日本の『令和3年版防衛白書』は、中国のミサイル戦力が急速に近代化され、アメリカ全土に着弾させることのできる大陸間弾道ミサイルから東南アジアを目標とする短距離弾道ミサイルまで、各種ミサイル戦力の配備を終えたと指摘。次世代のミサイル兵器の開発にも力を入れ、報道によれば、21年８月に地球周回後に標的へと着弾する極超音速核ミサイルの実験に中国が世界で初めて成功したという（のちにロシアも潜水艦からの発射実験に成功）。これには、世界中の専門家が驚きを露わにし、アメリカ国防当局は中国の成功が、米中軍事バランスを根本から塗り替える「ゲームチェンジャー」だと受け止めた。つまり、人工衛星の打ち上げで旧ソ連に先を越された時の「スプートニク・ショック」と同じ驚きをアメリカに与えたのである。

ロシアとの軍事密約

２０２０年10月22日。ロシアのプーチン大統領はロシアの国際討論クラブであるバルダイ会議で、中ロ軍事協定の可能性があると言及した。半公式的な場で中ロの軍事同盟に関する発言はこれが初めてだった。ただ、対日もしくは対米共同作戦を念頭において、両国がその時すでに軍事協定上の何らかの合意あるいは協定に近い密約があったにしても不思議なことではないだろう。小泉悠氏が指摘することだが、実際、両国は12年から合同海上演習を実施。

18年からは中国の正規軍である人民解放軍が参加するようにもなっている。

一方、小泉氏は中ロが持つ軍事的関心は地理的に重ならず、軍事同盟に発展することはないとも指摘した（『現代ロシアの軍事戦略』ちくま新書、２０２１年）。ただ、筆者はどうもそうとは思えない。実際は、中ロは朝鮮半島非核化や休戦をめぐる駆け引きで日米などと、東南アジアでは武器やエネルギー供与をめぐりアメリカと、西南アジアではイラン・アフガニスタン・トルコ、そしてウクライナなどをめぐり日米欧と対立する共通の利害がある。このように中ロには、地理的に軍事的関心が重なる部分が明瞭に存在しているのではないか。

中ロ関係には微妙な心理的不信感がまだあるだろうが、共通の対立国であるアメリカが存在する限り、軍事上の協力関係が強まる気がしてならない。

サイバー臨戦と敵のIT無力化

デジタル社会では、オモテに現れない軍事力が注目され始めた。戦時に限らず、敵に攻撃を仕掛ける「静かな兵器」とも呼ばれるサイバー攻撃だ。これには、敵国衛星の軌道変更、コンピュータへの侵入による機密情報抜き取り、国家・企業の各種情報改ざんのほか、ネット環境への侵入による違法な情報盗取や、ランサムウェアによる破格のコンピュータ身代金要求などが含まれる。あらゆるITシステムはこのリスクから逃れることはできないのが、現状なのだ。

もし中国国内でサイバー攻撃を仕掛ける行為をすれば、犯人には「スパイ防止法」（2014年）および「国家安全法」（2015年）が適用され、最悪の場合、死刑に処せられることになりかねない。ほかにも、中国には機密情報の漏洩《ろうえい》を防止するための「サイバーセキュリティ法」（2016年）、国家のために企業・組織・個人に情報収集活動の協力を義務づける「国家情報法」（2017年）、インターネットセキュリティと関係が強い官庁統計を含むデータ管理や利用を規制する「データセキュリティ法」（2021年）があり、サイバー攻撃を強く取り締まろうとしている。

国家＝共産党がすべてに優先する原則は、サイバー空間にも例外なく適用されているのだ。この国家主義的なサイバー空間のあり方は、自由主義陣営に属する国家群のサイバー空間と両立しにくく、両者の衝突を招いてもいる。

山崎文明氏はアメリカで2013年に出された報告書に、「中国人民解放軍総参謀部の下で電子情報収集に当たる61398部隊の本部が上海のサイバー攻撃隊と同じビルに入居」

との記述があることを指摘した（『エコノミストオンライン』２０２０年11月6日）。これは行政組織と軍関係組織の両軸の組織が、サイバー攻撃に参加していることを示唆するものだという。中国にはシビリアンコントロール制度がないために、軍組織が軍事活動の一環として、一般市民に混ざって自由な活動ができることもこの背景にあるのだろう。

サイバー攻撃は国際的に禁止されているが、実際にはこのルールは形骸化している。アメリカも中国も、建前に拘泥することは自国の安全保障の脅威に直結することを知っている。サイバー攻撃に対して、防止技術を持たない方が悪いのだという認識が本音なのだ。

第７章　社会・文化分野

中国の世界制覇には、多様なソフトパワーを懐中に秘めていることも貢献している。壁一面に並んだ薬剤タンスの小引き出しから取り出すようなその力は、世界制覇戦略のツノを隠す役割を発揮しているだろう。ここからは、そんな社会・文化的な背景に迫っていこう。

華僑・華人の固い結束

６０００万人という数の力

中国にあってアメリカにない強力なパワー。それは華僑・華人の存在だ。華僑は中国籍を持つ海外居住者、華人は海外の居住先国籍を取得している中華系民族を指す。その大部分が漢族で、中国政府僑務事務室の推計によると、その人口は６０００万人。世界約２００か国と地球の隅々で暮らしており、彼らが保有する資産は概算で80兆円に上るという（２０２０

年)。

日本にも横浜や長崎、神戸などに中華街(チャイナタウン)と呼ばれるところがあるのはご存じだろう。居住する華僑・華人は少なくなく、中華系人口は約78万人(2020年)と、日本の外国籍居住者人口としては最大だ。中華圏以外の国で華僑・華人人口が世界最大の国は推計1000万人のインドネシアだが、アメリカにも日本を上回る約500万人が住んでいる。

彼らは故郷を遠くにしながらも、民族意識の強さや行動規範は中国本土に暮らす人と変わらない。そのほとんどが中国の政治や経済、社会その他すべてを礼賛し、海外に居ようとも強く結束する。中国本土に対する投資意識も高く、外部から中国の発展を期待し、私財を投じることさえもある。

中国政府にとって、これほど強い味方があろうか。

特にアメリカ在住の華僑・華人が組織する「華商企業」の活動は活発だ。華僑出身者の多いことから華僑研究で有名な厦門《あもん》大学のある研究者は、在米華商企業が1977年の2万3270社から2002年には28万6000社あまりに急増し、06年の企業収益全体は1051億ドル、10年の試算で50年には2兆5000億ドルになると見込んだ。

ほかにも世界の主要都市には韓国やロシアなどを除き、規模や経緯は様々であるものの、必ずと言えるほど彼らの居住地やチャイナタウンがあり、中国物産を扱う商店街や中華系子弟のための義務教育機関（華僑学校）があり、昼夜を問わず大混雑している。筆者自身、海外の行く先々の街で、彼らが商売をする姿を目にしたことがある。

新・旧バンブー・ネットワーク

地元の住人（ネイティブや外国人）は、チャイナタウンにはあまり近づかない。だからこそ、そこに暮らす華僑・華人と地元民とが融合し合うことはほとんどないし、お互いにその気もないのだろう。

チャイナタウンに住む華僑・華人の出身地は様々だが、比較的生活条件が苦しかった南方人が多い傾向があり、中国の四字熟語で「白手起家」といわれるように、彼らは無一文からたたき上げの富を築く商才があるとされる。その強さが異国での中国人の存在感を磨き、中国国家についての存在感に連動する効果を担ってきた面がある。こうした人たち同士の強いつながりは、バンブー・ネットワークとなり、このつながりだけでも彼らは十分生きていけるのだ。

一方で、バンブー・ネットワークが大きな一枚岩のコミュニティかというとそうでもない。中国籍保有者の華僑と中国籍を離脱した華人の間には、心理的な境界があるようだ。華僑・華人研究の世界的権威、元シンガポール国立大学東アジア研究所の華人である王賡武《おうこうぶ》氏は、筆者との対談で華人は自らをマイノリティと称し、華僑をマジョリティとして、立場の違いを強調すると話したことがある。

また、華僑・華人にはもう1つの境界、「老華僑・華人」と「新華僑・華人」もある。老華僑・華人は中国が改革開放あるいは新中国が生まれる以前に海外に出た者で、新華僑・華人は中国が豊かになった後に留学や長期滞在、海外での事業展開、さらには婚姻などの理由から海外に出た者たちだ。

ただ、どちらも中華民族と血縁・地縁でつながっており、海外に住んでいても中国の歴史・文化に愛着を持つ点では変わらない。

躍進支える対中投資

前述の通り、バンブー・ネットワークをうまく利用し合う人の中には商売上手で成功し、巨万の富を築く者がいる。どの分野で成功するかと言えば、老華僑・華人の得意とする業種は金融や観光、貿易、商業などのサービス業で、新華僑・華人はこれにコンピュータやその部品となる半導体などＩＴ系の製造業が加わってくる。

世界中に散らばる華僑・華人は、中国国家のためにも働く。中国にとってありがたいのは、中国の出身地の故郷に多額の投資をし、寄付をし、故郷に錦を飾ってくれることだ。

中国に対する海外からの直接投資は、中国経済発展のモデルでもあり、２０２０年までで２兆６０００億ドル（中国商務省、約２８６兆円）に上るが、特に経済発展期、華僑・華人の対中資金援助や直接投資の役割は無視できない貢献だった。例えば、中国が資金難で苦しんだ時期、広東華僑投資公司は新中国建国期の１９５５～67年までの間に中国国内80社に当時の金額で７０００万元（現在の貨幣価値で約3億円）を海外の華僑から集め、日本でも著名なタイの華僑企業である正大集団（ＣＰグループ）は80年頃から中国国内に４００余りの企業を設立、70億元（約１１００億円）の資金援助を行った。ほかにも華僑・華人が経済を支配する香港は20年までに1兆４４００億ドル（約１６０兆円）という巨額の対中直接投資をしている。

これら華僑・華人を含む海外からの投資や資金は、工場建設や研究開発投資、教育投資、貧困軽減策などに振り向けられ、１９７８年の改革開放につながり、その後の急速な経済発展のための原資として役立ったのである。

華僑・華人による輸入が増えた背景

華僑・華人による中国からの輸入も無視することはできない。

20世紀初頭は、世界の各地で平和に暮らす華僑・華人に対する、不当な排斥運動が多発して、多くの華僑・華人が殺傷された。1960年代には、東南アジア各地の住民が新中国によって赤化されることを恐れ、再度多発した華僑・華人排斥暴動などから、出自を隠す華僑・華人・中国系企業が増加。そのため、企業名を欧米言語風に変える企業が増えたものだ。

欧米風の氏名を使う華僑・華人が増えたのにも同じような背景があった。アリババの創業者ジャック・マー（馬雲）のように、欧米風の氏名を名乗る者があるのはそうした名残りだろう。

ただ、やがて変化が現れた。中国の経済成長は、自らが華僑・華人系企業であることを誇りに思わせるようになったのである。シンガポールの金鷹商貿《きんようしょうぼう》集団や華僑銀行、タイの正大集団、インドネシアの金光集団、アメリカのワング・ラボラトリーズなどがその良い例だ。著名企業が中国系企業であることを公然と明かすように変化したのである。

華僑・華人が一消費者として、高額な輸入中国製品を好んで使う動きも増えた。中国が輸出に力を入れ始めた最高級ＥＶがその典型だろう。例えば、毛沢東が天安門広場の人民解放軍を閲兵《えっぺい》する際に使った最高級車ブランドの「紅旗」は世界の人気車種に変貌。最高級ＥＶ車「Ｅ‐ＨＳ９」として現地小売価格は80万元（約１４４０万円）と高額なものの、世界で成功した華僑・華人が率先して輸入している。華僑・華人の中国貢献力は凄まじい。

世界に散らばる孔子学院

孔子といえば儒教、論語といえば孔子。彼は世界で最もよく知られた中国伝統の偉人の１人であろう。では、この孔子を冠した孔子学院を読者の皆さんはご存じだろうか。

孔子学院は主に一般市民向けに、中国語（北京標準語）と中国文化を教える教育機関で、２００４年から「中国国家対外漢語教学領導小組弁公室」（２０２０年に民間組織である「中国国際中文教育基金会」へ移管）が中心となって、世界各国で設立された。20年時点では、１６２の国・地域に５５０の孔子学院（中国の大学と各国の大学が連携して各国に設置）、１１７２の孔子課堂（大学以下のレベルの教育機関が設置者、教育内容は食文化に重点）がある。学生数ははっきりしていないが、中国関係機関の情報によれば210万人で、中国人教師は4万6000人とも言われる巨大機関だ。日本にも早稲田大学や愛知大学、立命館大学などと組んで14校があり、各国にもアメリカに112校、イギリスに29校、韓国に23校など多数設置されている。

仕組みは中国の大学と海外の大学（元々中国語教育科目のあるところがほとんど）などが一対一で共同設置する。パートナーである中国側の大学は北京大学や南開大学、南京大学といった33校の一流大学が並ぶ。施設費などの負担は日本など海外の設置大学、教材・カリキュラムと教員経費の負担は中国側の大学となり、孔子学院長は海外の大学、副院長は中国人教員となるのが通例だ。学生は設置大学が孔子学院名で募集し、設置大学によって多少の差があるが一講座当たり年間3万～4万円の授業料を徴収する。

学生の大半は一般市民で、その大部分が中国勤務経験者や退職者、現役会社員、中国文化愛好者、大学の学部・学科で中国語を学ぶ者だ。やはり、カリキュラムのメインは中国語で、学生数やその中国語能力によってクラス分けする場合もある。ほかに中国の文化や芸能などを教えるカリキュラムも存在するが、受講者は限られている。なぜならば、学生は中国に関する基礎的知識をすでに持っている者が多いからである。

トランプ前大統領や日本の一部には、孔子学院は中国共産党の宣伝機関であり、学生を洗脳させるものだといった誤った認識がある。ただ、学生は幼稚でも無垢でもないし馬鹿でもない。中国が孔子学院を「洗脳」の道具にしようとする意図があったにしても、それは無理筋というものだ。もちろん、孔子学院の世界的普及が中国語の世界的な普及につながっていることは事実である。

第3部

日本の対中戦略と日本人の対応

第８章　中国世界制覇に対して日本がとるべき姿勢

第２部では、中国が様々な分野で世界制覇を成し遂げていることを紹介した。国家として、世界制覇に向けて着実に歩んでいることを実感していただけただろうか。中国の世界制覇は各国に対中政策の見直しや、向き合い方そのものの再考を促している。特に最大の貿易相手国にして第２位の直接投資相手国、そして歴史的にも関係の深い日本は目を背けてはいられないだろう。そこで、最後となる第３部では、日中国交正常化50周年を経て、これからの中国に対する日本の向き合い方を多角的に考えていく。なお、ここで「日本」とは国家としての日本、民間の日本企業、個人としての日本人を含む意味で使っている。以下では、この点を使い分けながら述べていく。

早すぎる世界制覇の弊害

第2部で述べたように、中国がすでに数々の分野で世界制覇の座を獲得していることは疑いの余地がない。その速度は凄まじく、21世紀に入って基礎固めを終えると、その後のわずかの期間に静かにかつ急速に進んだものだ。

あまりの速さに当の本人である中国でさえ、その意義と対外的影響力の強さに気づいていないようなところがある。例えば、中国には、国の進路に大きな影響力を持つ国家発展改革委員会の幹部が執筆した『未来の予見』（未邦訳）という著名な研究書がある。これは、習近平主席の政策が成功して世界的発展を遂げたことを評価、その上で2049年の中国の未来図を描いたものである。しかし力をつけた後の中国が世界とどのような関わり方をするのかについての記述は乏しく、さらには世界に対する自国の責任意識の薄さが否定できない内容なのだ。ここには、自分が世界の中心と考えてきた中華思想から脱皮できない中国の姿が垣間見える。

しかし、それは中国に当てはまるだけの問題とも言えないだろう。日本を含む世界の国々も、中国の世界制覇が進んでいることについて、そして、それが今後さらに拡大することについての認識や行動に関する折り合いが何もついていないのだ。

多くの分野で中国が世界制覇していること、それ自体はもちろん悪いわけではない。むしろ人類の先頭に立って新たな技術開発を行い、有益で持続可能な財やサービスを世に送り出すことは中国の世界に対する貢献だ。ただ、他国の利害を一切考慮しない一国優先主義的な考えが中心になっているのであれば、黙って見過ごすわけにはいかないはずだ。

いずれにせよ、日本や日本人は、この状況にどう向き合えばよいのだろうか？

三角形で捉える日中関係

まずは、中国と日本がどのように関わり合っているか整理しよう。

日中関係を理解するには、アメリカを含む三角形の構図で捉えると分かりやすい。すなわち、日本・中国・アメリカをそれぞれ頂点とする三角形のうち日中が直線的に結びつく直接的関係と、頂点の1つであるアメリカを挟んで屈折する2本の線を介して結びつき合う間接的関係に分けるのである。このアメリカを挟む間接的関係は、日中関係に歪みを与えやすいという意味で、一面、アメリカが関節のような働きもしている。

直接的関係を深める上で時々壁になるものとしては、日中戦争における侵略行為、A級戦犯も合祀されている靖国神社への総理大臣の参拝問題、尖閣諸島の帰属問題などが挙げられるだろう。他方、間接的関係は日米の対中外交がほぼ一体化し、日中関係が実際は「日米・中関係」となっていることから生まれている。これは日本の置かれた対米関係が影響していよう。さらに、純粋に米中間の対立が日中関係に影響し、これを歪めることも往々にして起こっている。筆者が日中関係に影響を及ぼしていると考えるのは、アメリカの厳しい対中民主化批判や軍事的対立、経済戦争とまで呼ばれる対立や相互の人権批判などだ。これらは日本が直接関与していないにもかかわらず、日中関係を歪める関節になっている。

では、このような関係性を前にして日本はどのような行動をとるべきだろうか。

筆者自身はこの三角関係が早急に解決する可能性は限りなく低いと考えている。だからこそ、この関係性を受け止めた上で、日本に有益な方策を見つけて実践すること以外に、今は選択肢があるまい。

３つのアプローチを組み合わせる

そこで、ここからは後述する３つのアプローチから中国の世界制覇に対して日本の具体的な対応策を提案したい。図表Ｐ‐１（６ページ）に挙げた１００分野は他国への影響力が強いことを基準に選定したもので、現段階でこれ以外はそれほど多くあるわけではない。しかし、今後も主要なこの１００分野で中国はトップに居続け、ここに新たな１００分野をつけ加えることはありえるだろう。

かといって様々な分野で君臨するであろう中国を前に日本は何もできないのかと言えば、そうではない。日本が対抗できる分野はあり、それをしっかりと見極めた上で対策を練れば、中国の競争相手として世界での存在感を維持できるはずだ。

そこで、各分野を対象に日本がいかに向き合い、行動するかという点を見極める上で有効と思われるのが次の３つのアプローチだ。

１つ目のアプローチは、１００分野を次の３つに分類することだ。

①　中国との競争で日本が勝つ可能性のある分野
②　競争への勝利よりも、日本が世界に向けて存在感を示すべき分野
③　日本の体力から見て競争するのが現実的ではない分野

中国に対して実践的に向き合う上では、100の分野をあらかじめ分類して臨む方が、エネルギーと資源のムダを避けることができる。

2つ目のアプローチは各分野をさらに定性的な分野と定量的な分野に分けることである。定性的とは、ここでは中国の国家としての性格や社会・文化構造、もしくは、数値として記載できるものの比較できるものがないものを指す。一例を挙げると、「一帯一路」の参加国は148か国でこの数字は中国の世界制覇を端的に示すが、日本に比較できるものがないため、定性的分野に分類している。定性的視点を持つことで、日本も世界に通用する日本らしい対外政策や社会・文化などのソフトパワーを見いだし、日本の地位を高める一助とする対応を取るためのヒントを得ることができよう。例えば、アニメや寿司などの健康食もその好例だ。一方で定量的分野とは、GDPや自動車販売台数、在外国大使館数など、数値の大小を他国と比較する意味がある分野のことを指している。

そして3つ目のアプローチが、ミクロとマクロ2つの対応策を考えることである。ここでいうミクロの対応策とは、分野ごとにとる対応策のことであり、マクロの対応策とは個々の分野を超えて国家として中国全体と向き合うために必要な対応策のことである。この2つに分けることで日本が中国と向き合う対象が明瞭になろう。各分野と向き合うのは主に民間人や企業であり、中国という国家と向き合うのは主に日本という国家なのである。

この3つのアプローチを組み合わせることによって、中国の世界制覇に対する日本のこれからの実践的な向き合い方がよりよく見えてくるのではないかと思う。

それでは、ここからは前述のアプローチに従って、まずは各分野がどこに分類されるか紹介していこう。

日本が勝つ可能性のある分野（35分野）

本書が挙げる100分野のうち定性的な分野に属するのは18分野であるが、このうち日本が中国と競争し勝てる分野は伝統武術（柔道、空手、剣道など）の普及以外にないだろう。

次は勝つ可能性のある定量的分野に話を移したい。82ある定量的分野のうち、日本が中国と競争して勝つ可能性のある分野は34分野あると考えられる。鉱物資源やインターネットユーザー数、海外渡航者数など、国土面積や地質、人口といった中国が飛び抜けている要因に強く影響を受ける分野に挑むのは無謀だ。なんと言っても、日本には中国の10分の１以下の人口しかいないのだから。

そうした分野を除き、残ったものが次の34分野である。どれも今後の日本の浮沈をかけた非常に重要な分野ばかりだ。各分野の対応策については次の章で扱うので、ここでは、簡単な紹介にとどめよう。

外交：①首脳の訪問外国数、②在外大使館数、③在外女性大使数、④自国民海外留学者数

経済：⑤ＥＶ生産台数、⑥年間スマホ生産台数、⑦ビッグデータ量、⑧量子コンピュータ開発、⑨産業用ロボット販売台数、⑩ノートパソコン生産量、⑪スーパーコンピュータ所有台数、⑫Ｅコマース市場規模、⑬造船竣工重量、⑭空調生産量、⑮対外直接投資額、⑯対内直接投資額、⑰対アフリカ直接投資額、⑱世界最大コンテナ取扱港、⑲外貨準備高、⑳総貯蓄率、㉑銀行単独総資産

額、㉒資本効率

科学：㉓GPS精度、㉔宇宙望遠鏡、㉕研究者数、㉖博士学位取得者数、㉗自然科学論文数、㉘特許権取得件数（全分野）、㉙ゲノム編集国際特許件数、㉚5G等国際特許権数、㉛人工知能特許出願数、㉜第4世代半導体開発

社会・文化：㉝女性教授数、㉞国際発信言語別放送局数

日本が存在感を示すべき定性的分野（6分野）

ここに挙げるのは、客観的な比較がしづらい定性的な分野において、中国との競争よりも世界に向けて日本の存在感を示すべき分野だ。これには、①拡張した領海面積、②南シナ海人工島数、③北極航路（北極シルクロード）、④月面裏側着陸探査機数、⑤南極基地数、⑥国際宇宙ステーションが挙げられる。どれも日本が各国と築いてきた信頼関係を基に、他国と協力して対応に当たるべき分野だろう。中でも、特に重要だと考える2つの分野について、ここで少し考えてみたい。

1つ目は領海面積の拡張と人工島建設である。中国による領海面積の拡張に対して、日本

が同じような行動に出るとすれば、それは非難される。これは自明のことであろう。

では、この中国による領海面積の拡張に対して日本はどう対応すべきだろうか。

日本ができることは、領海面積の拡張をめぐって中国と対立関係にあるベトナムやマレーシア、ブルネイ、フィリピン、台湾などの主張を詳細に聞き取り、それを多言語でまとめ、第三者の立場からその主張を世界に向けて発信することだろう。それらの国々や地域に寄り添い、国際的世論形成の支柱になることである。国際的信頼を得ている日本であれば、できないことではない。中国がこれを内政干渉と批難するとすれば孤立するだけのことだ。

2つ目は北極航路の開発である。北極航路については、温暖化が進んで氷が解ける海域が広がったとはいえ、まだ砕氷機能のある特別な船舶や避難方法の準備、気象観測機器や専門知識を持つ船員の確保を欠かすことができず、そのほかの航路に比べて別のコストがかかるだろう。ただ、メリットははるかに大きそうだ。北極航路を利用すれば、日本からオランダのロッテルダムまで2万2000キロメートルにわたるマラッカ海峡スエズ運河経由の航路比べて、距離が1万4000キロメートルに短縮される。船会社にとっても荷主にとっても、時間短縮と燃料・その他コスト節約の魅力は非常に大きい。

マラッカ海峡を通過してスエズ運河を渡り切るまで、海賊やテロのリスクが一向に収まる気配を見せていないのも現実だ。特にソマリア沖の海賊は各国の悩みの種となっている。しかし北極航路には、その心配がない。

北極航路はロシアのＥＥＺ内を通過することになるから、この方面でロシアからは、航行の安全性確保や現地の正確な気象情報提供などの支援を得なければならない。日本は北極評議会のオブザーバー国の一員として、世界最高レベルの船舶技術や航海技術を駆使し、独自の航路開発に進むべきだし、それができる能力があろう。

日本が存在感を示すべき定量的分野（8分野）

日本が存在感を示せるであろう定量的な分野に該当するのは8つだ。それは、①スマホメーカー数、②総産出高、③ＧＤＰ、④名目貯蓄総額、⑤キャッシュレス利用者数、⑥宇宙ロケット打ち上げ回数、⑦火星着陸探査機数、⑧再生エネルギー発電量であろう。

これらのうち過去に日本が中国を上回っていたＧＤＰなど、特に重要だと考えられる４つの分野について取り上げてみよう。

１つ目はＧＤＰである。

２０３０年までにはアメリカを追い越すことが確実視される中国のＧＤＰ。そのとき日本のＧＤＰは中国の約５～６分の１程度であると予想されている。この差は、その後も拡大し続ける見通しだ。もはや日本が中国のＧＤＰを追い越すことは微塵も期待できない。日本は中国のＧＤＰを意識せず、まずは世界での影響力を失わないために、１人当たりＧＤＰを世界20位以内（先進国クラブＯＥＣＤ加盟国38か国の中位）に維持することが重要であろう。このためにも、日本は中国との相互の経済的結びつきを強めこそすれ、弱める必要性はまったくない。

そこで最大の課題となるのは、中国からの大規模な対日投資を呼び込めるかどうかだ。日本で事業を行うことが強みとなる分野、ＥＶ部品や素材産業、中国からレアアースを持ち込んで日本で製造する半導体素材製造産業などは、中国からの対日投資が増える可能性は十分にあるはずだ。ほかにも中国で需要急増が見込まれる介護ロボットをはじめとする介護関連産業は中国にとっても有益のはずで、高齢化社会で先を行く日本に輸出や支援を求めるかもしれない。

次の２つ目と３つ目は関連の強い分野なので同時に紹介する。それは宇宙ロケット打ち上げ回数と火星着陸探査機数である。

各国の宇宙開発には、それぞれお国柄のようなものがある。端的に言うと、日本はこれまでの2基のはやぶさ号のように地球や宇宙の成り立ちや仕組みといった学術的関心に基づく研究型、中国やアメリカは基礎研究を含みながらも、重心を宇宙資源開発や宇宙の領土化、地球外惑星の人類初踏査といった実用開発型と言うことができるだろう。

もちろん、日本もやがて月や火星に人を送る実用開発型に向かう可能性は十分にある。実際に日本人宇宙飛行士が月を目指す計画もある。それに、2021年にはアメリカなどと並び、日本でも国際法上可能とされる、月面の水・鉱物資源に所有権を認める法案が成立した。これは月面有人探査をにらむものと見られるだろう。もし宇宙資源の活用に向けて動き出すならば、例えば、月面と火星面上の諸資源の分布状態や月面上における水やその他の有用な鉱物資源の抽出やその保管技術、輸送技術や低コストロケットの開発など、日本なりの対策を広範に取り組みつつ国際的に存在感を高めることも必要ではないだろうか。

4つ目は再生エネルギー発電量である。

日本政府は2020年10月に、二酸化炭素の排出について2050年までに実質ゼロとする計画を立てた。「実質」とは排出を完全にゼロにすることではなく、森林の炭酸同化作用などで吸収される分も計算に考慮するのでごまかしとも言えるが、炭素量が大きく削減されることを目標とする意義は大きい。

そこで１つの対応策となりうるのが、再生エネルギー発電比率を上げることだ。２０２０年時点でその比率は18・６％に過ぎず、好意的に捉えるならば伸びしろは大きいと言える。ただ、日本の保守政権は原発維持の立場を崩さない。天然ガスや石油などの化石燃料による火力発電の削減も遅れ気味だ。また、風力発電に適した自然環境が限られていたり、太陽光発電に必要な広大な空き地が少ないなどの制約条件があり、その普及スピードは緩やかである。再生エネルギー発電比率が、中国が目標として掲げる50％に達することを期待できる状況とは言えない。

一方、日本では風力発電機や太陽光パネルの改良が進んでいる。例えば、国立研究開発法人新エネルギー・産業技術総合開発機構（ＮＥＤＯ）が支援して開発された小型風力発電機「エアドルフィン」は、同型では世界最高の発電効果を持つという。また、東芝はこれまでと同程度のコストで高い発電効率を持つ太陽電池を開発した。これらは日本の長い発電機開発の経験と高い技術が生かされた成果であり、風力発電や太陽光発電の制約を縮小させる効果を期待できる要因ではなかろうか。

日本が競争するのは現実的でない分野（51分野）

最後に挙げるのは経済力や技術力、政治機構や社会、文化、地理などの特徴から日本が中国と競争できない分野だ。これは図表P－1に掲げた100分野のうち51分野が当てはまると考えられる。どれも中国の特性が生かされている分野で、日本は対応しにくいものばかりだ。具体的にどんな分野なのかは、少し長くなるが次に書きだそう。

○定性的分野（11分野）

①「一帯一路」参加国、②国際客車（北京－モスクワ間開業済）、③中・欧高速貨物列車（開業済）、④国際新幹線型営業線路総延長（一部開業済）、⑤パンダ提供相手国数、⑥世界初の法定デジタル通貨使用国、⑦共産党独裁年数、⑧華僑・華人人口、⑨チャイナタウン、⑩中国雑技団、⑪資源武器外交力

○定量的分野（50分野）

⑪人口、⑫総合資源埋蔵量、⑬海外一時出国者数、⑭国連安保理拒否権最少発動国、⑮新型コロナワクチン世界供給量、⑯陸の隣接国境国、⑰海外政府派遣労働者数、⑱レアアース等希少鉱物資源独占、⑲５Ｇスマホ出荷台数、⑳世界の５Ｇ基地局数、㉑半導体市場規模、㉒貿易額・最大の貿易相手国が中国、㉓石油輸入量、㉔医薬品輸出品目数、㉕飛行機輸入数量、㉖牛肉輸入量、㉗穀物輸入量、㉘大豆輸入量、㉙法人企業数、㉚製造業企業数、㉛粗鋼生産量、㉜アンモニア生産量、㉝エチレン生産量、㉞化学繊維生産量、㉟穀物生産量、㊱上場自動車メーカー数、㊲外国系自動車ブランド数、㊳自動車生産台数、㊴漁獲量、㊵海外旅行時購買額、㊶温室効果ガス排出量（国際間排出量取引市場規模）、㊷大学数、㊸大学教員数、㊹現役大学生数、㊺兵員数、㊻インターネットユーザー数、㊼母語普及学校数、㊽海外民族料理店数、㊾母語書籍輸出量、㊿政党党員数

すべてを説明するには紙面が足りないため、ここでは、日本と深く関わりのある５分野と、ほかとは少し毛色の異なる１分野にフォーカスして説明しようと思う。

１つ目は国際新幹線網、つまりは高速鉄道網の建設である。

日本の新幹線は１９６４年の開業から事故は皆無で、これまで自然災害に起因する以外に5分以上の遅延すら起こしていない。対する中国の新幹線はどうかというと、２０１１年に温州市内で40人以上が犠牲となる事故を起こした以外、事故が発生したという話はなく、相当の改良が加えられて安全性が高まった印象がある。しかし、災害対策や運行管理体制も含めた安全性という点では、まだ日本に敵わないだろう。それに、筆者の経験という主観的な評価にはなってしまうが、振動や騒音、車両の広さ、座席の座り心地、車内サービス、清掃といった面でも、日本の新幹線の方が快適であるように思う。

ただ、日本の新幹線が高性能だからといって普及のための国際的競争力があるかと言えばそうではない。まず、現在中国が世界で建設を進めている高速鉄道網は、いつでも中国製新幹線に置き換えることができる設計にされている。また、日本の新幹線はいわゆるハイエンドモデルであり、機械構造上ミドルエンドと見ることのできる中国の新幹線と比べ、価格面でも差がある。これは新興国での新幹線市場を確保するのに大きな足枷になるだろう。

さらに、前述の通り中国の新幹線には、周辺諸国をはじめとする国境を越えた鉄道網を自ら建設しているというアドバンテージがある。こうした状況下で日本が入り込む余地があるのは、中国式新幹線網から外れる国々が行う国家単位の導入の時だろうが、国際協力機構

（JICA）などを通じた援助や融資などと絡める以外に、新幹線が中国に勝つための良策は限られるのではないだろうか。

2つ目はアンモニア製造量である。

第2部でも触れた通り、日本も含め世界的にカーボンニュートラルへの関心が高まり、アンモニアの需要は増大の一途を辿っている。そこで、課題となっているのが、大量のエネルギーを必要とするハーバー・ボッシュ法に変わる新たなアンモニア製造方法の開発だ。日本でもその解決に向けて、水と空気から効率よくアンモニアを製造する技術などが開発されている。

ただ、日本のアンモニア製造キャパシティは、中国やインド、アメリカなどと比べれば極めて小さい。これら新技術が実用化されたにしても、アンモニアを世界需要に一定の影響を及ぼすほど輸出することは困難である。

そこで、次なる可能性として、新技術やこれに基づくアンモニア製造プラントの輸出が浮かんでくる。つまり特許権保全能力を持つ上での知財輸出ということになろうか。しかし、こちらも各国が世界一の生産量を誇る中国で特許権を取得しようと動いており、競争が激しくないとは言えない。

3つ目はエチレン製造量である。

化学製品の原材料であるエチレンは、あらゆる石油化学製品の母ともいわれる気体だ。以前、アメリカに次ぐ生産量を誇っていたのは実は日本だった。それが、2020年には生産量が中国の5分の1以下となる約604万トンに大幅ダウンした。今後も製造プラントの量的限界などから、大きな伸びは見込めそうもない。

これほど中国との差が開いたのは、日本の生産量が落ちたというよりも中国が急成長をとげたことによる。中国では、年間5000万トンを超える国内需要に生産が追いつかない逼迫状況が続いている。自給率は半分程度にとどまっており、今後も一層の生産能力の拡大に向かうと見られている。

4つ目は化学繊維生産量である。

2019年の化学繊維生産量は、中国が6127万トンだったのに対して日本は7〜8分の1程度、818万トンであった（日本化学繊維協会）。

以前は世界市場を席捲した日系メーカーだが、こぞって工場を中国などに移転した結果だ。日本産が現状維持できるかどうか見通しさえ立たず、長期間続いていた生産量の低下傾向が2009年に底を打ったとはいわれているものの、往時の量に回復させるのは至難だとの見方が多い。それでも、クモの糸の特性を生かした繊維素材の開発など、世界が注目する技術が登場してきている。果たして、この技術が日本の化学繊維産業の追い風となるか。

5つ目は自動車生産台数だ。

2020年時点で中国の自動車（四輪車）生産台数は2523万台。771万台である日本が、国内の生産台数を中国並みにするためには、単純に見積もっても生産能力を3倍以上に拡大する必要がある。

そこで、キーワードとなるのがCASEだ。

これはコネクティッド、自動化、シェアリング、電動化の4つの英単語から頭文字を取った造語だ。中国で、トヨタとの連携でも有名な清華大学自動車学院の教授を務める趙福全《ちょうふくぜん》氏は、同じCASEでも「新四化」、すなわちコネクティッド、知能化、シェアリング、電動化に対応すると話すが、世界的な動向とベクトルは同じであろう。トヨタはこのCASEが自動車の世界的技術革新競争の核心になるとみて、全社挙げての取り組みを始めている。

ただ、それでも国内市場は今後さらに縮小、対中および対世界輸出の著しい増加も困難で、中国に限らず世界第2位の自動車市場であるアメリカにも多数の現地工場を持つことから、国内の工場を拡大しての大幅な増産は無理であろう。

むしろ、部品点数がＥＶの５倍ともいわれるガソリンエンジンを主体とする日本の自動車産業構造の改編やトヨタが開発に成功した水素エンジン車の普及、そこに振り分けられてきた労働人材の再教育や転職支援という課題に官民挙げて取り組むべきではなかろうか。

６番目は中国雑技団の世界的影響である。これは今挙げた５分野とは少し性質が異なる。中国が持ち前のソフトパワーを駆使して対外活動を行うもう１つの、やや特殊な中国雑技団の影響力を無視することはできない。

中国雑技団は１９５０年、新中国誕生後の翌年に、当時の周恩来《しゅうおんらい》総理の音頭で設立された。公演では、国家機密とされる変面をはじめ、中国伝統の奇術的体力や身のこなしを駆使して、着飾った男女が様々な技を連続的に披露する。観ていると、確かに楽しいし人間業とは思えない動き方に驚く。

他方、党所属の一部の雑技団の公演には、毛沢東を礼賛する寸劇などを組み入れ、多分に共産党プロパガンダ的な色彩を持ち、世界１００か国以上で公演を繰り広げ、中国と中国共産党のＰＲに一役買うものもある。これは他国にはまねできないショーであり、その効果は非常に大きい。

日本でこれに似た分野は見当たらないが、忍者劇や剣舞、空手の組手などを組み合わせた工夫があれば、好感をもって迎えられるかもしれない。とはいえ、中国雑技団のようなプロパガンダ性を持つ必要はなかろう。

第9章　各分野で中国との競争に勝つには

日本が中国と競争できる分野、そして競争するからには負けられない分野は35分野である。元々競争にならない定性分野を除けば、35分野という数は少ないとはいえない。

以下では、この35分野のうち31分野について、日本が中国との競争に打ち勝つためにどうすべきか、という点に焦点を当て話を進めよう。除いた4分野のうち、量子コンピュータ開発は技術開発の担い手が中国のように面ではなく個人や組織の点で止まっている現状の改善、空調生産量については世界最大のメーカーが日系企業であり国内工場での性能改善や価格競争力などで十分に優位な開発ができること、資本効率の向上には中国のような産業全体のデジタル化の推進が必要なことをここに指摘するにとどめる。また、ビッグデータについては第10章の最後（258ページ）で簡単に触れる。

なお本章の主題「中国に勝つ」とは、定性的分野はいうに及ばず数量的に勝ることだけが勝つことではない。定量的な分野では数量、数の大きさも重要な要因だが、これに質の良さ・高さが加わることが重要になる。量的には劣っても、質的な良さ・高さが量の不足を補って余りある場合もある。世の中に量と質を混ぜ合わせた尺度は存在しないので本書も量と質の最適な組み合わせを表現することはできないが、以下では両者を織り交ぜながら解説することを心がけるので、なぜ負けているか、どうすれば勝つことができるのか、理解していただければ幸いである（以降、見出しの番号は図表Ｐ‐１〈６ページ〉の通し番号と同じ）。

外交分野

首脳の訪問外国数（14）：アフリカと結びつく中国

読者の皆さんは、各国首脳が年間にどれだけ外国訪問をしているかご存じだろうか。「首脳」は本書では国家元首、首相、副首相、外務大臣を含めているが、これを中国に当てはめると、それぞれ国家主席（総書記）、首相、副首相、外交部長。日本に当てはめると、それぞれ天皇、首相、副総理、外務大臣となる（日本の国家元首が天皇であるかどうかは賛否両論あるが、便宜上、本書では国家元首であるとする）。

中国外務省によれば、２０１９年の副首相（同じクラスを含む）以上による外国訪問回数は71回だ。他方、日本の訪問回数は50回。その差は明らかである。

中国首脳たちの行き先は東南アジア、西アジア、中東、アフリカ、中南米が多い。特に、構成国の多いアフリカ地域には度々訪問している。背景には、アフリカを取り込もうとする日本やアメリカとの競争意識もあるだろう。中国においてアフリカは協力者であり、豊富なポテンシャルを秘める最後の土地と考えられているようだ。もう少し日本と中国のアフリカ外交の現状について見ていこう。

日本はアフリカ開発会議（ＴＩＣＡＤ）を通じた開発援助を柱に、１９９３年からアフリカ支援に取り組んでいる。この意味で、日本は中国より早くからアフリカ支援体制を整えてきた事実がある。２０１４年にはアフリカ開発銀行と共同で、日本・アフリカビジネスフォーラムを設けて、経済関係の強化を図っている。

ただ、動き出しが早かったからといって、日本が中国よりもアフリカとの結びつきが強いかと言えばそうではない。現状は日本のアフリカ外交は中国に遅れをとっている。２０００年以降、中国はアフリカ諸国とともに中国・アフリカ協力フォーラムを開催。このフォーラムは中国による各種援助や経済協力を積み上げる機会となっている。また、中国政府筋によれば、アフリカには技術者や労働者など１５０万人以上の中国人が定住。通信インフラはほぼチャイナ・テレコムが担い、資源開発は中国国家石油会社が主導、そのほかの繊維や日用雑貨製造業なども中国系企業が独占しているという。

中国が考える通り、アフリカのポテンシャルは凄まじく、その市場は無視できないほどに大きくなっていくだろう。だからこそ、今重要な策の1つは、首脳による頻繁かつ計画的なアフリカ訪問であり、日本のきめ細かい技術を柱にしたビジネス協力なのではないか。54か国からなるアフリカの内情は複雑かつ多様で、アフリカと一括りにして考えるのは難しいかもしれない。ただ、日本には中国に勝る歴史の長いアフリカ研究がある。その研究成果を十分に活用すれば、新鮮な対応策の発見につながる可能性はあるはずだ。

在外女性大使数（15）と女性教授数（90）：わずか3％の女性大使

世界経済フォーラムが毎年発表する、男女格差の程度を数値化したジェンダー・ギャップ指数。この2021年版で日本は153か国中120位という順位だ。ちなみに、中国は日本よりは上の107位である。この結果は、日本における女性の地位の低さをあらためて世界に知らしめたであろう。女性が持つ高度な教育レベルや貴重な体験に由来する知見や発想力の大部分が活用されていないと言っても過言ではない。

この指数が示した日本の男女格差の深さは女性大使数にも表れている。2020年時点で、日本の在外公館に在籍する152人の大使のうち女性はわずか5人。全体の3％にとどまっている（外務省資料）。一方、中国には169人の大使の24％に当たる40人の女性大使が働く。彼我の差は明らかであろう。大使という日本の代表に女性が増えれば、日本に対する見方はもっと豊かになるだろう。

関連して、日本のジェンダー問題のもう1つにも触れておきたい。文部科学省の『学校基本調査』（2020年）によると、大学教授のうち女性が占める割合は26％で、徐々に増えてはいるが、中国に比べると非常に少ない。女性の教授・研究者を増やすことは、日本の潜在能力を教育や研究に生かすためにも喫緊の課題である。

経済分野

EV生産台数（22）：生き残るために

中国はやがて自動車の年間販売台数が5000万台となる時代へ突入するだろう。2021年の約2倍、日本市場の10倍となる見込みだ。過去の趨勢《すうせい》に十分な余裕を見て、販売を毎年５％増加として計算すると、２０３５年頃には達成されると推測される。

さらに、中国の「新エネルギー自動車産業発展計画（２０２１～２０３５年）」（２０２０年）では、新車販売の半分はガソリン車から新エネルギー車に替わり、その大部分がＥＶに置き換わることを謳っている。つまり、これから迎えるであろう５０００万台時代というのは、ＥＶ時代とも言えるのではないだろうか。

そんな時代を見越してか、中国では電池性能（走行距離が長いほど高性能）や価格などが異なる様々な種類のＥＶが登場し始めた。例えば、２０１４年設立の上海蔚来《らい》汽車による走行距離５８０キロメートルで価格８８０万円の「ＥＳ８」、同年設立の小鵬《しょうほう》汽車による走行距離４８０キロメートルで価格３００万円の「Ｐ７」、２０１５年に設立した威馬《いば》汽車による走行距離４６０キロメートルで価格４５０万円の「ＥＸ５」などなど。多彩なモデルが生産され、日々、電池性能の向上も実現している。

これに日本のメーカーはどう向き合っていけばよいのか？　肝心なことは量を無視することなく、質を重視する姿勢ではなかろうか。

まず量的には、日本メーカーはガソリン車時代が去った後、ＥＶの国内生産を少なくとも７００万～８００万台（２０２０年基準）は確保する必要があるだろう。でないと、日本から機械産業の一大部門が消える恐れが十分にある。というのも、現在の年間生産台数がそのくらいだからである。

もう1つは産業の質を高めること、つまり優れた技術を携えて日本企業の積極的な国内・国際間技術提携を進めることではないだろうか。EV競争で有利に出るには、従来の電池よりも多く電力を蓄えることのできる全固体電池といった電池性能の改善が必要なことは明白だ。そして、これを単独で開発することが困難であるのも明白だろう。だから、世界の自動車メーカーは勝たなくとも遅れないために、開発提携を組む手法を取るようになった。日本の自動車メーカーも、アメリカやドイツ、中国各社との共同開発を試みるようになった。

日本はこの調子を崩してはならないだろう。各社による共同開発がどんどん進めば、将来的にクルマのメーカー別・国別の特徴や価格差は消えグローバルモデルに収斂《しゅうれん》する。その時、単独でEVを販売していても、性能で他社のモデルを上回ることはできず、日本企業の存在感は薄れてしまうのではないだろうか。もしこれがいやで、日本車として熾烈な競争に勝ち抜きたいとすれば、日本メーカーは合従連衡《がっしょうれんこう》していく道しかない。

スマホ生産台数（23）：日本製の部品・ＯＳ開発に道

２０２０年の国内スマホ出荷台数は約１０００万台強（電子情報技術産業協会）で中国の16分の１程度だった。スマホ普及率は中国の83％に対して日本は64％（アウンコンサルティング、２０２１年４月）。携帯電話の時代、ピークの00年代の国内出荷台数は年間５０００万台だったから、昨今の落ち込み方はいかにも大きい。

スマホ市場は出荷台数ベースではサムスンやシャオミ、アップル、オッポ、バイボなどで世界市場の70％を占める寡占状態だ（カナリス調べ、２０２１年の第２四半期）。国別の生産台数を見ると、ファーウェイやシャオミ、オッポなどを擁する中国は17億台。日本メーカーの生産台数は不明だが、出荷台数の１０００万台強を上回ることはないので微々たるものだ。日本のスマホメーカーはソニーや富士通、シャープ、京セラ、パナソニックが残ったが、ノキアと同じように携帯からスマホへの技術的切り替えにつまずき、市場での存在感は薄い。

では、日本メーカーに未来はないのかとなれば、答えはありだ。ソニーを再生させた平井一夫氏が言う「一度手放してしまうと再参入が難しい」（『日経ＢＰ』２０２１年７月）とは、知識集約型商品については、生産設備、研究開発ノウハウ、技術者、販路などの維持をしながらチャンス到来を待つ価値があるということだろう。そして、そのカギは、ＳｏＣと呼ばれるＩＣチップやカメラセンサー、液晶パネルといった高級部品と、ＯＳの２つにあると言われる。

ＳｏＣは複数の機能を持つチップを１つにまとめたもので機器の小型化や省電力化で威力を発揮する。そして、これは組み立て部品であり、外国産の半導体を基盤に各種機能を組み合わせるものなので、部品調達後は、半導体製造装置産業で存在感を示す日本メーカーが得意とする分野なのだ。ほかにも、カメラセンサーといった高級部品の性能や品質も日本メーカーは他国の追随を許さない。

もう１つはスマホのＯＳだ。現在はｉＯＳとアンドロイドが主流だが、ファーウェイはグーグルとの確執から短期間で「ハーモニー」という独自のＯＳをリリース、中国内ユーザーにアンドロイドからの乗り換えを勧め始めた。現在のＯＳ最大の弱点はウイルスやハッカーなどのサイバー攻撃防止能力にあり、デジタル通貨の普及、健康保険証や運転免許証などのＩＤ保護などにはうまく対応できていない。これらはアプリの更新・機能向上で改善できる部分もあるが、基本はＯＳに左右される。そんな状況下で日本型ＯＳの開発は、日本製スマホの世界展開のカギになるのではないだろうか。

産業用ロボット販売台数（26）：ロボット新市場の開拓を急ぐ

この分野では中国との競争に勝つために2つの課題がある。それは、中国に追い抜かれた産業用ロボットの導入台数をいかに増やすかと、②中国が導入するロボットのうち日本製のシェアをいかに維持・拡大するかということだ。

産業用ロボットは自動車や電子機器、半導体製造、食品製造、検査品、物流、医療機器など幅広い分野で使われている。「ロボットによる社会変革推進会議」のデータ（２０１９年）によれば、２０１８年の世界生産台数38万台に対し、日本が占める割合は60％。パナソニックや三菱電機、ヤマハ発動機、川崎重工、セイコーエプソンなどメーカー数も多く、中国にも工場を設けている。今後はますます、サービス分野への拡大が進むと見込まれている。

この産業用ロボットメーカーの多くが日本メーカーである点は当面も変わりそうもない。変わったのは産業用ロボットの設置台数や販売台数だ。中国での販売台数は２０１９年時点で世界最大の14万４０００台に達し、日本の3倍以上に拡大したのである。中国の産業構造は、安い労働力依存から高度の技術依存へと脱皮した。世界をリードしてきた日本の自動化工場がキャッチアップされ、相対的に日本産業の競争力を引き下げる要因にもなっている。

そんな中、今後の日本の産業用ロボットの方向性について、前述の「ロボットによる社会

変革推進協議会」は、

○ 中小企業分野への普及
○ ユーザーとロボットメーカーを技術的に仲介する機能を育成
○ ロボットの製造から製造ライン構築までのバリューチェーンを構築
○ デンマークなど各国の進んだ展開事例を学習
○ ものづくりからサービス・教育などへ新たな産業への拡大

を挙げた。これらは産業用ロボット業界の質の改善を進めることにつながる。加えて、筆者は介護用ロボットやドローンを利用した自動運搬機器、ＥＶとの融合など、日本と中国社会の実情を汲んだ開発を深めるべきだとも考える。

ノートパソコン生産量（27）：高性能はやっぱり日本製

生産量とはいっても、最終組み立てを終えた数量という意味で、物理的には大きな意味があるわけではない。しかし、その完成品には製造国名が付され、メーカー名が付加価値を決める。この差はブランド力にある。

生産を日本国内に回帰させ、中国を上回る台数を生産することは不可能だが、年間生産台数を数千万台に持っていくことは夢ではない。

中国の２０１９年のノートパソコン生産台数は世界最大の１億８５００万台だった（ただし、台湾メーカーが大半を占める）。その理由は世界最大の消費地であり、近隣国家に集中するサプライチェーン、広大な工場用地確保のしやすさ、政策的な投資誘導装置、比較的安価な労働力などが揃っているからだ。

ノートパソコンの選択肢は様々で、その選択基準も多種多様であるが、日系メーカーの性能が劣っているかと言えばそうでもない。私見で申し訳ないが、日本、中国、アメリカメーカーの機種をそれぞれ使った経験のある筆者からすれば、バッテリー、重量、キーボードを含めて遜色はない。

ただ、日本製ノートパソコンが性能面で優れているというこの事実を知っている中国人はほとんどいない。中国製品の高性能化以後、日本製に接する機会が中国でほぼ消えたからである。そして、もう１つ見逃してはならない理由があると考える。それは、日本製ノートパソコンの多くが、高価なＯｆｆｉｃｅなどをプレインストールしていることである。

中国の消費者はＯｆｆｉｃｅ抜きの購入が一般的で、ワードやエクセル、パワーポイントの代わりに、自国産のソフトを自ら入れることが多い。小さなことかもしれないが、日本製ノートパソコンをＯｆｆｉｃｅ抜きで販売すれば、中国や東南アジアでも相当販売が伸びるチャンスがあるのではないだろうか。量の回復にはこうした質の高度化が不可欠であろう。

造船竣工重量（37）：日本の優れた技術の出番

世界の造船は日本と中国、韓国で90％を占める寡占産業だ。このうち竣工量のトップは中国。世界全体の竣工量である５８２２万トンのうち約40％を占める。日本は30％の韓国に次ぐ第３位でその世界シェアは22％だ（２０２０年）。１９９０年、日本は世界シェア40％強を誇る世界のトップに位置していたが、それが最初は韓国に、そして間もなく中国に逆転を許した。それはなぜだろうか？

専門家や政府関係者によると、どうやら次のことが理由として考えられているようだ。

○　１９７０年代の石油危機に伴う大型タンカー不況による経営体力の縮小
○　１９９０年代のバブル崩壊と経済不況と政府主導による過剰設備削減

○　リーマンショックによる世界海運不況
○　大中小企業が分散林立し産業集積が進まない体質改善の遅れ
○　造船労働力の不足によるコスト上昇

他方、韓国や中国は日本の造船技術移転や大規模造船会社の設立など、後発ならではのメリットを十分に活かし、日本の間隙を縫うように世界市場で存在感を示していったのである。

今後の世界の造船需要は拡大する傾向が続くだろう。脱炭素や生産性のさらなる向上によってその環境も大きく変わるといわれている。さらに、中国と韓国ともに賃金コスト、世界的潮流となりつつある自動操舵機能付加による製造コスト上昇と無縁ではいられない。

だが、ここに日本の造船産業再生のカギがあるのではないだろうか。生産性改善の壁だった業界再編の遅れは徐々に解消され、巨大な石油エンジンを脱炭素に転換できる技術、日本のパワーARK（電気運搬船）や長距離無人運搬船開発は、日本の得意分野の1つとなろう。造船業界をめぐる国際競争環境は、徐々に日本に有利なように移っているのではないだろうか。

Eコマース市場(36):便利な和製プラットフォームの構築を

日本のEコマース(B2C)市場規模は経済産業省によると19兆3000億円(約1800億ドル)で、中国のほぼ10分の1程度にとどまる。消費者人口や市場成熟度、決済サービスの充実度などの面で、日本は中国に大きく水をあけられている。

本来、国境を超えるEコマース分野に必要な舞台は国際的なプラットフォームだけであり、国籍がどこであろうとかまわない。この理由から、日本の事業者が世界の表舞台に躍り出ることは可能である。成功させるためには、中国側の多業種のパートナーと提携することがカギであろう。中国のEコマースは日本で主流のB2CだけでなくC2CやB2Bなどの領域へも広がっている。

日本のEコマースがどこまでカバーするべきかは何とも言えないが、まずはメイド・イン・ジャパンを主力にして、C2CやB2Cをカバーするプラットフォームの浸透を図ることは重要だろう。日本から中国の消費者への越境ECの市場規模が2020年は1兆9499億円と、10年前の20倍以上になっていることからも分かる通り(経済産業省)、中国でメイド・イン・ジャパンはまだ根強い人気があるのだ。

そこで不可欠なのが、スムーズな取引のための、スマホ決済アプリや、リアルな元/円決済または元／ドル決済の仕組みを構築することである。世界に普及する中国銀聯《ぎんれん》カードやＰａｙＰａｌ（ペイパル）を介する方法は、より有効であろう。

コンテナ取扱港（39）：山積の課題解決を急げ

世界の港湾別コンテナ取扱個数ランキングで、日本の最大港は京浜（東京・横浜・川崎）の約８１６万ＴＥＵ（20フィートコンテナの個数に換算した単位）で第19位。世界1位の上海の約５分の１に過ぎなかった（国土交通省、２０１９年）。

約40年前は未来がこのようになるとは微塵も感じさせなかった。神戸港はアジアでは香港の次となる第2位で、世界では第4位。横浜港が第13位、東京港は18位、現在はアジア第１位である上海港はトップ30にも入っていなかった。

なぜ40年余りで日本は国際港としての存在感を失っていったのだろうか。

その理由は次の通り様々だ。

○ 大型化する世界のコンテナ船に敬遠されがちな日本の小さく浅い港湾

○ 荷下ろしの時間帯が昼間に限られることで起こる混雑

○ 高いとん税（入港税）やコスト
○ 世界の主要な港を結ぶフィーダ航路開発の遅れ
○ 港湾のコンピュータ管理システム整備の遅れ
○ 遅れる港湾設備（浚渫・堤防・係留・荷さばき・保管など）の近代化
○ 下船後のコンテナ内陸あるいは（目的地に直送するのではなく、配送センターなどを経由して輸送する）横持トラックの不足
○ 港湾や港湾運営企業による自助的な集荷機能・コンテナ市場開発の遅れ
○ 工場群や倉庫群のある港湾後背地が限られる

これらのために、日本の港湾後背地は観光やロマンスには優れた景観を持つが、本来の物流機能の点では国際競争力を失った。

世界的地位を回復するには、単純ではあるが、前述した9つの課題を1つ1つ解決していくしかない。とん税のように改善されたものもあるが、残念ながら多くの点で不十分なままなのが現状だ。その実現のためには、国と地域の強力なリーダーシップの発揮以外にないといわれている。

銀行単独総資産額（30）：銀行大合併

アメリカの調査会社であるＳ＆Ｐグローバルによると、２０２１年の世界最大の銀行は中国工商銀行で総資産は５兆１０７５億ドル（約５４１兆４０００億円）だ。日本最大は三菱ＵＦＪ銀行の３兆４０７９億ドル（約３６１兆２４００億円）で世界第５位。トップ４行が中国の銀行が占め、三菱ＵＦＪ銀行を含めて日本の銀行でトップ30に入るのは第12位で三井住友銀行、第13位でゆうちょ銀行、第14位でみずほ銀行の４行である。第２部でも触れた通り、バブル崩壊前は、日本の銀行が世界のトップ10の大部分を占める時代もあったが、二度とそのようなことは起こりえないだろう。

それでも、世界で日本の銀行が存在感を少しでも示すためにはどうすればよいだろうか。カギは中国の銀行が市場を把握したデジタルバンキングおよびその基盤たるキャッシュレス化に便乗すること、早急に円のデジタル通貨実現のための制度改正を行うこと、世界に比べ規模が小さくて多すぎる銀行の合併を進めることではないだろうか。

デジタル通貨は、スリムな金融部門に幅広いサービスなど多種多様な分野が加わって初めて、威力を発揮する。実現すれば、国内・国際間即時決済や手数料節約、金庫など現金管理設備不要、現金有り高と帳簿突合せ事務の排除、マネーロンダリング防止、にせ札駆逐、製造コストがかかる紙幣やコイン排除など様々なメリットを得られるだろう。

邦銀もネットバンキング業務の取り扱いを始めているが、安全・迅速なシステム構築とセキュリティ確保に顧客の不信感があり、さらに、使い勝手がいいとはいえない面がある。早晩、世界の金融界はフィンテック（FinTech）の波に洗われるから、スピード力のある中国の銀行に遅れないために、これらの体制整備を早急に進めるべきだと思う。

銀行の合併も忘れてはならない。日本には１３６の銀行に信金などの銀行外金融機関４１7、他に全国に６００ほどＪＡ金融があるが、このうちメガバンクと呼ばれる3行以外で総資産10兆円以上の金融機関は２０２０年時点で19行（ＪＡを除く）だけだ。フィンテックや国際的資金流通決済システムなどの整備には多大のコストを要するが、現状は規模の小さな金融機関が乱立しており、開発に必要な資金が集中しにくい。

世界的な低金利の下、スケールメリットを実現できない小規模金融機関が多いと、フィンテックによる便利な金融サービスが生まれる世界の市場で日本の銀行がやれることは限られてしまう。地域金融機関と呼ばれる業態を含め、全国規模で銀行の合併を進めることや、銀行と信用金庫の合併といった業態間再編が必要なのではないだろうか。

総貯蓄率（31）：隠れた資産ストックがある

高いことで有名だった日本の総貯蓄率は、バブル経済崩壊以後に急速に低下。「ワールド・トレンド・プラス」によれば、２０２０年3月時点で26・1％と、45・7％である中国との間に大きな差がついた。

総貯蓄率が高ければ、投資能力も高まると考えられている。また、高い方が企業や家計のキャッシュフローにも余裕が生まれる。これが低い国では、当座貸越額もしくはリボルビングをオーバーしやすいので、家計の負債過剰のリスクが高まるといわれているのだ。ただ、日本はすでに超高齢化時代を迎え、家計の負担も増える可能性に備えて家計支出が抑制される条件が整いつつある。つまり、皮肉にも総貯蓄率が上昇する可能性が生まれているのである。

その背景には、高齢化世帯の家計資産の大きさが潜んでいる。その資産は世界でまれにみるほど大規模なものだ。その主な中身は人生で使い残した貯蓄や住居敷地（土地）、マンションの売却などによる利益、言い換えると社会的貯蓄の増加である。これら社会的な貯蓄は所有者に不幸があれば、税金控除後に相続され、消費・投資又は貯蓄として残っていく。

もちろんそれをいかに市場循環に導くか、という課題は別の政策的問題ではあるが。

外貨準備高（32）：歪んだ相場の是正

２０２１年時点で日本の外貨準備高は約１兆４０００億ドルと、中国に次ぐ世界第２位である。ただし、中国との差は約３倍。また、その構成は貿易や海外投資で稼いだ資産の80％をアメリカ国債に換えるというかなり偏ったものだ。財政赤字のアメリカ国債は高リスク商品であり、値下がりすれば、その分は損失となるのだから思い切ったアメリカ支援策ともいえるだろう。最近の顕著な世界的現象の１つは、ドルの基軸通貨としての座が揺らぎ始めたことだ。各国の外貨準備構成は、圧倒的資産だったドルに代わってユーロ、人民元、円、ＳＤＲ、金など資産の分散化が進んでいる。

さて、日本の３倍の外貨準備高を持つ中国に、日本は追いつくことができるだろうか。

それには、日本の貿易黒字と第一次所得（対外直接投資収益など）を大幅に増やす必要がある。しかし、貿易黒字の増加には対米黒字削減の圧力が加えられるはずなので、限界をすぐに迎えるだろう。

ではどうするか。それは日本の黒字を増やす方法に頼るのではなしに、中国の元相場を引き上げさせることで、輸出を減らし輸入を増やす方に誘導することである。

中国の元相場は、2005年に変則的な変動相場制に移行したのだが、市場実勢に任せて決まる欧米や日本などがとる本来の変動相場制ではなく、前日終値から上下0・3%以内で変動を許容する、「管理変動相場制」に過ぎず、これが不均衡を生んでいる。

元相場が市場実勢に従う変動相場制であるとしよう。例えば、輸出先で1ドル10元だった商品が、元安相場の下で20元分買えるようになることを50%の元安という。しかしここで、中国がさらに元相場が安くなるように市場介入すること（管理すること）で30元分買えるようになれば、中国からのその商品の輸出は市場のあるべき相場を超えて増える。すると、中国の貿易黒字はあるべき額を超えて増えるのである。中国はこれまでこのような管理をしてきた。これを正常な相場に戻す具体的対策は、元相場を現状よりも引き上げることである。

世界一の貿易額と世界一の外貨準備を持つ中国は、すぐにでも日本や欧米と同じ完全変動相場制に移行すべきである。それが実現するように、日米欧の各国は中国に対して協力して国際通貨市場原理のゆがみ是正に向けた圧力をかけ続ける必要がある。この点では、トランプ前アメリカ大統領が中国を「為替操作国」として激しく批判したことは正論だった。

対外・対内直接投資額（33、34）：投資したくなる国に

財務省によると、２０２０年（暦年）の日本の対外直接投資額は12兆３５４１億円（約１８８億ドル）で、外国から日本への対内直接投資額は１兆９４８億円（約１０５億ドル）だった。一方、中国は対外直接投資額が１３２９億ドル、対内直接投資額が１４９３億ドル。日本と中国で対外直接投資額に大きな差はないが、気にしなければいけないのは対内直接投資額に大差がついていることである。

対内直接投資額（日本財務省・中国商務省）についてもう少し詳しくみてみよう。２０２０年直近の5年計を見ると、日本の対内直接投資額は５４７億ドル、対して中国５４９６億ドルである。ＧＤＰの差は3倍程度でしかないのに、10倍近くの差がある。これは、日本に比べて中国の市場が、各国にとって投資収益が大きく期待できることを端的に示しているようなものだ。日本政府は２０３０年までに対日直接投資残高を２０２０年の3倍、金額にして80兆円（約７６００億ドル）に増やす目標を持っているが、楽観できないだろう。

例えば、中国による対日直接投資額は２０２０年までの累計ですら42億ドル（約４５００億円）程度にすぎない。単年度の投資フローで比較すると、２０２０年に実施した日本の対中投資額が１兆１０００億円（約１０６億ドル）に対して、中国の対日投資額はその26分の

1の443億円（約5億ドル）でしかない。日中間においては、この投資アンバランスを是正することが課題である。これは中国に限った話ではなく、日本が抱える対世界全体の課題であり、例えば、アメリカは対日投資額が8053億円に対して、日本の対米投資額は3兆7943億円となっている。

ここでは、中国に焦点を当てた本書の立場から、世界第2位のGDP規模であり、投資家が豊富に存在する中国の対日投資を拡大させる方法についてもう少し考えてみよう。要諦は次の点に絞られるのではないだろうか。

すなわち、投資減税や物的な誘致政策も必要だが、対中に絞った最も必要な対策は、中国の投資家が日本に対して抱く意識への対応策であろう。実際、お互いに特殊な感情は持たない台湾の企業であるTSMCの新工場の誘致には成功しているのだ。現状は、対日不信感が中国の対日本投資の障害になっている。

この点を変えるには、日本人自身が持つ中国観の改善や日本への投資で利益が出ることを示す多様で具体的なシミュレーションを提示していかなければならないだろう。同時に対日不信を払拭するためにも日常的に人的交流を増やすことが肝要なのではないだろうか。一に対話、二に対話である。ときどき中国はその対話自体を一方的に拒むことがあるが、風林火山のように今は粘りながら対応することである。

対アフリカ直接投資額（35）：長い目で先を見据えて

54か国から成る人口13億4000万人のアフリカは、人口規模で中国に匹敵する地球で最後の大規模な投資対象地域だ。しかし、アフリカで日本の存在感は中国の陰に隠れている。投資や貿易、人的交流までもが中国の後塵を拝しているのが実態だ。

日本の2020年対アフリカ直接投資額（フローベース）は4830億円のマイナス（投資回収）だった（財務省）。2年続けてのマイナスである。アフリカ進出企業数は327社（ジェトロ、2020年）で、投資先は少なく見ても24か国、半分以上は2006年以降の進出だという。

一方、新型コロナの流行という特別の事情があったにせよ、中国は2019年を1582億円（約15億ドル）上回る4394億円（約42億ドル）の直接投資を行った（中国商務省）。アフリカ全体では結果的に、日本の投資引き上げを金額的には中国が補う形となった。

日本の対アフリカ投資はアフリカ発展の可能性を念頭に、長期的なスタンスで臨む以外にはない。中国と金額の多寡で張り合う意味は乏しい。また、アフリカの多くの国はまだ政情が不安で、中国のように政治・外交的意図を優先するかのような投資はすべきではない。長い目で見て、日本にとって良きパートナーとなってくれるための相手国を選択することが重要な取り組みだ。中国は1950年代から投資を始め非常に長期的視野を持っているが、アフリカに眠る自然資源・市場育成・一帯一路政策の要衝としての期待が大きい。

日本の場合はすでに操業している日系自動車メーカーなど、企業の経験を日系企業全体に広げることが重要であろう。また今後は、資源獲得に走る中国との差別化を図るため、相手国を選んで日本に招いての人材研修を活かし、日本の効率性と技術に優れた資源現地加工・精錬産業の充実に力を入れる方法でも良いのではないだろうか。アフリカ認識の改善も積極的に行われるべきで、日本人自身、サバンナとライオンのイメージから脱することが教育者の責任でもあろう。

科学・軍事分野

自然科学論文数（70）：競争のすそ野を広く

日本の自然科学論文数は年間6万5000件程度で世界第4位の水準である（科学技術・

学術政策研究所『科学技術指標２０２１』２０２１年）。他方、中国の年間自然科学論文数は、第2部でもお伝えした通り『中国統計年鑑』によると19年は約１９５万件ほど。文部科学省の統計でも16〜18年の平均数は約30万６０００件で世界第1位だ。このままでは、中国に追いつくどころではない。むしろ、伸びが緩やかな日本は、着実に自然科学論文数を増やすインド（同17〜19年平均は約６万３０００件）や韓国（同期間平均は約5万件）に追いつかれそうなのだ。

中国がこうして世界第1位の科学技術研究大国に躍り出たのには、大学や研究機関に惜しみなく注がれる莫大な国家予算が背景にあるだろう。２０２０年度の政府による研究資金は全体の8割超。物価上昇を控除した実質研究開発費（政府以外の資金も含む）の伸びも、00年を1とすると中国は12・9となり、日本の１・３と比べて約20年で研究開発に多くの資金が流れていることが分かるだろう。

「ネイチャー」「サイエンス」「セル」をはじめとする、著名でインパクトファクター（引用数を元に算出した雑誌の影響力を示す値）の高い自然科学系研究誌に投稿される良質な論文には、実験設備を備えた研究室や研究補助者、英語論文のネイティヴ・チェック（これが高い：英単語1つにつき20〜30円程度）を受けるなど高いコストがかかる。提出後、通常は複数の査読者からの修正要求に応じるための再実験や書き直しなどで、さらに手間ひまカネがかかるのである。

また、日常的な研究費用もバカにならない。例えば、実験用マウスは１匹１万～２万円、高いものだと数十万円になる。他にも、半導体材料の金属シリコンは１００キログラム当たり10万円、実験補助者の人件費は月当たりで30万円ほど。研究を続けていく上では何かとお金がかかるのである。日本の学術研究費や研究者数の伸び悩みが叫ばれて久しく、こうした状況を背景に、日本の自然科学分野はアジア一のノーベル受賞数を誇るものの、中国がとって代わる日も遠くないと言う専門家も少なくない。

では、これから日本はどうするべきなのか。

研究者に資金を無尽蔵に出すところはこの世にはない。日本の場合、研究費の大部分を支えるのは国家資金であるが、その総額自体は少ない。これを大幅に増やすことが必要だ。ただし、単純に増やすだけでは改善は限定的である。

また、日本の研究体制と研究成果の評価システムにも再検討の余地があろう。限られた国家の研究資金を有効に使うためには、大学や研究機関等（民間企業の機関も含む）の人材が国営プラットフォームに登録して、似たテーマごとに研究グループをつくることで、現状では分散する研究資金・研究資源の効率的な分配が必要ではないだろうか。他にも、研究成果の第三者チェックと研究体制の恒常的な更新システムの採用も一考する価値はあるはずだ。

研究者数（78）：現状に満足しない

研究者とは、文部科学省の定義を要約すると、「大学を修了した者もしくはこれと同等以上の専門的知識を有する者で、特定のテーマを持って『研究』している者」を指す。定義は各国によって異なり、例えば、中国では「研究を主とする科学者・工学者」。もちろん大学や民間企業など機関ごとに定義が異なることもある。

こうした背景があるために、研究者数を厳密に国際比較することは難しい。ただその人数の多寡は、その国の研究規模水準と密接に関わり、つまりは研究開発の規模を推察する1つの指標にもなるため、完全に無意味とも言えない。そこで、ここでは思い切って各国の研究者数をざっくりと比べてみたいと思う。

ユネスコの資料によると、2018年の日本の研究者数は68万人で、中国は187万人。一方、17年の人口1万人当たりで見ると、中国が12・5人なのに対して日本が52・5人と4倍強に。人口規模を考慮すれば、日本が研究者数で中国に劣るとは単純に言えない。

では実際の研究規模はどうかと言うと、日中の研究開発費（２０１９年）は日本が19兆５７５７億円で、中国は日本の１・８倍の２兆２１４４億元（約35兆円）。対ＧＤＰ比では、日本が３・６％、中国が２・３％と、日本が中国の１・６倍であり、こちらも単純に日本が劣っているとは言えないだろう。ただ、日本のＧＤＰ比が高いのは、日本と中国のＧＤＰ格差が拡大していることを反映もしているので、もろ手を挙げて喜ぶべきことでもない。

日本が少なくとも人口当たりの研究者数で中国を上回り続けるには、その財務基盤たるマクロの研究開発費の低下を防ぐこと、研究のすそ野を一般企業にもさらに広げることである（企業内研究者空間の形成）。

博士学位取得者数（79）：学位に評価を

日本の博士学位取得者数は年々、中国に水をあけられている。２０２０年の取得者数は日本が１万５０００人で、中国は６万１０００人。しかも、その推移は日本が減少傾向なのに対して中国は増加傾向だ。

いずれ、中国は２０２０年の博士取得者数が８万７０００人であるアメリカも抜くであろう。中国では、大部分の理系学生と有名大学文系の半数近くの学生が、修士・博士へ進学する傾向がある。これには、学部卒業資格では大手企業や公務員といった人気の職業に就くことの難しさや激しい学歴競争が背景にある。

他方、減少傾向にある日本の博士学位取得者数は、先進国では最下位に近い順位に位置する。その理由は次に挙げるようなことが考えられるだろう。

○企業教育を基礎とする日本企業で学卒の方が育てやすいとされていること
○修士もしくは博士課程の修了には、それぞれ最短でも2年もしくは3年を要し、その間の学費や生活費負担が大きいこと
○日本社会で博士学位があまり評価されていないこと
○前述の3つの理由に加えて、日本は女性の社会進出機会が男性に比べて少ないことから、博士過程に進む女子学生のリスクがより大きくなること

これらの点は日本社会のあり方とも深く関わり、一朝一夕で改善できることではない。しかし、それができる企業や研究組織から率先して、これらの問題の解決に取り組むことが期待される。放置のままでは、日本の博士学位取得者数の減少傾向に歯止めはかからないだろ

う。

また、海外では博士学位取得者は専門分野に精通した有能な人物と評価され、修了するのに要した学費や時間もコストであるから給与や待遇に反映されるのは当然との認識がある。中国、台湾、東南アジアでは日本の博士学位の評価は非常に高いので、国境を越えることに、博士保持者側ももっと積極的になっていいのではないか。

自国民海外留学者数⑯：中国をその目で見に行く

日本学生支援機構によると、２０１９年における学生の海外留学者数は10万７０００人で前年比マイナス６・８％だったという。

これに比べて中国人学生の海外留学者数は70万人。日本の約7倍だ。もちろん、学生数自体が日本の約10倍なので、学生１人当たりで見れば日本が多い。ただ、人口が日本の半分以下である韓国の海外留学者数は日本の倍以上だ。学生１人当たりで、中国が日本を追い越すのは、過去の趨勢から判断すれば時間の問題だ。

中国は自国民の海外留学を奨励すると同時に、海外の華僑・華人、それに外国籍の若く優秀な研究者を招聘する事業を行ったことがある。招聘する目的は海外で働く華僑・華人研究者の帰国と海外の先端科学技術の中国への伝播といわれた。「千人計画」（2008〜2018年）及び「青年千人計画」（2010〜2018年）である。

前者は海外の先端科学技術分野の優秀な研究者を中国に招聘、合計で1510人を招聘した。後者は研究業績を持つ40歳までの者に限り、返済不要の最低年間50万元（約800万円）の生活費、3年間で100万〜300万元（約1500〜4500万円）の研究費を支給するというものだった。

両事業とも2018年以降縮小、いつの間にか、静かに表舞台から消えた。アメリカからのスパイ嫌疑による抗議が発端だった。中国のインターネットからも、その情報はほぼ消えている。

日本人の留学先を人数の多い順に並べるとアメリカ16・9%、オーストラリア8・9%、カナダ8・7%と続き4位にイギリス6・3%と、全体の40・8%が英語圏に集中している。他方、隣国の韓国への留学は6・7%、中国へは5・8%でそれぞれ5位、6位と低い。欧米人の留学先がフランス語圏、ドイツ語圏、中国語圏、日本、韓国と広範囲に及んでいるのと対照的だ。

若い日本人にとって中国から学ぶことは非常に重要だ。国内の中国語教室や大学である程度の会話能力を身につけたら、あとは現地で学ぶことだ。

するとは何が変わるか？　中国観がほぼ１００％変わる。日本の中国嫌いの人たちの大部分は中国滞在経験がないか、偏見から抜けきれていない。同じ批判でも、その上での批判ならば重みが違ってくるはずだ。

中国世界制覇の現実を現地で見れば、日本を見つめ直し、自分を発見し直す好機となるのではないか。


特許権出願・登録件数（71）：4倍の差を縮めるために

日本の特許権出願件数が最も多かった年は２００５年であり、42万７０００件あまりに上った（科学技術・学術政策研究所『科学技術指標２０２１』２０２１年）。しかし、以降は一転して減少傾向になり、最近はピーク時を10万件以上も下回っている。海外からの出願数も全体の約20％に止まり、アメリカが海外からの出願が全体の約半数であることと比較して少ない印象だ。そして、本題の中国はというと、19年は１４０万件を超えて世界第１位である。日本は4倍以上の差をつけられている。

一方、実際の特許権登録件数で言えば、日本は中国の半数程度。さらに、取得率は中国の約2倍だ。こうした状況を踏まえると、登録件数を中国並みに押し上げるには、日本の今の出願件数を2・3倍、つまり70万件程度にまで増やす必要があるだろう。そのために、日本の得意とする分子生物学、生化学、医学、生物工学など基礎生命科学分野（中国も得意）をさらに伸ばし、中国に比べてやや弱い材料科学（ナノ半導体、セラミックス、高分子材料など）のすそ野を拡大する戦略が効果的だといわれている。すそ野を拡大する最も有効な方法は研究者の育成・拡大と研究環境の拡充である。

さらに、特許権の出願においては、もう1つ注意しなければならない点がある。それは国際特許の取得だ。それをしないと、発明特許権が日本でしか保護されず、他国で野放図に無料で使われるという悲劇を生む可能性がある。

だからこそ、特許権利取得の際には他国にも出願する必要があるのだ。この複数国へまとめて出願することは、「パテントファミリー（特許ファミリー）」などと呼ばれ、この件数も各国で異なっている。日本と中国の数を紹介すると、出願相手国数が2か国のものは日本が全体の9％で中国は12％、3か国のものは日本が20％弱で、中国が13％だ。また、日本はパテントファミリーの割合が中国よりも多い傾向がある。これは、国際的に有意な発明が多いことを示すので、日本は中国より国際的な特許権の割合が高いと言えよう。この調子をぜひ維持してもらいたい。

人工知能特許出願数（72）：アジアに鉱脈あり

日本の情報系企業であるグローバルインフォメーションの調査によると、人工知能（AI）の世界市場規模は２０２０年に４０２億ドルを超え、規模拡大の一途を辿る可能性が高いようだ。

人工知能に関する日本の特許出願件数（国内）は、２０１３年から21年８月までで１７７５件。うち、日本国内居住者（企業・大学・研究機関・個人）の出願件数は１０００件を超える。一方、中国やアメリカからの出願も全体の約40％を占める。これは、日本の人工知能市場を重視している証左と言えるだろう。

では、中国における人工知能分野に関する特許はどのような状況だろうか。調べてみると、意外にその歴史は古く、１９８５年から始まって２０２１年までに１万２２９６件の登録がある（中国国家知識産権局データベース）。内訳は海外からの出願もあるが、大部分は中国国内からのものだ。国家の音頭の下で、文理を超えて研究者総出で国内の人工知能産業の発展に心血を注いできた結果だろうか。現在も全国各地で大中小のシンポジウムがひっきりなしに開かれている。

日本が、この分野で中国に追いつくことは至難であろう。また追いつくにしても10年単位という長期的な計画で進める必要があるだろう。それほどまでに水をあけられている。

ただ、この状況に絶望して何もしないというのは、今後、日本が世界で存在感を示していく上で悪手だ。少しでも差を埋めようとする必要はあるのではないだろうか。

その際にポイントとなるのは、何といっても「日本らしさ」と「グローバル視点」を融合させる姿勢ではないだろうか。日本らしさはこれまでに様々な高クオリティの製品を生み出してきたが、ガラケーやカラーテレビが世界の舞台で勝負できない現状を見ると、それだけではこれらの二の舞になる恐れがある。日本製はどうしても汎用性と価格面では劣る。そこで、グローバルな視点を持って、最初から世界を見据えることも必要なのではないだろうか。

また、世界のＩＴ拠点になりつつあるインドや東南アジア諸国と組んで、人工知能関連のハード・ソフト技術を糾合する、グローバルなプラットフォーム形成に取り組むことも有力な選択肢の１つではないだろうか。

5G等国際特許権数（74）：6Gを目指せ

日本の5G通信システムの完成度は、中国や韓国、マレーシア、フィリピンより遅れたまだ。中国製のIT通信システムを導入したことが有利に働き、中国が5G通信を始めると、これらの国々はほぼ同時に5Gに移行できた。

日本でもこれらの国々に猛追し、スマホの買い替えと同時に5Gサービスに加入するユーザーが増えてはいる。総務省によれば、2025年には5G契約がスマホ契約数3539万件の56%に当たる1982万件に達する。

5G技術全体の基礎技術特許権は中国やアメリカ、韓国に握られており、日本が入り込む余地は非常に狭い。日本と中国の5G関連の国際特許出願件数を比べると、2019年時点でそれぞれ2万9400件、4万7800件と大きな差があるのが分かるだろう（WIPO）。

日本の通信技術上の弱点ははっきりしている。それは、デジタルを動かすハードとソフトの開発力が弱いことだ。この方面で、日本の特許権は中国の25%でしかないのが実態だ。

しかし、5Gは非常に幅広い分野に応用できるので周辺技術も広く、ここに日本の優れた技術が忍び込む隙間ができるだろう。特許庁によると、「5G通信分野」の国内特許出願件数は、２０１９年～21年８月までで少なくとも50件である。

今後は、５Ｇ通信技術における核心部分の開拓を続けながらも、周辺技術の一層の拡充を図るための技術開発が重要となろう。

また、時代はすでに６Ｇシステム開発に移っていることも忘れてはならない。

６Ｇは２０３０年の実用化を目指しており、５Ｇの２倍以上となる通信スピードや最大で５Ｇの１万倍ともなる通信容量拡大、受信範囲が宇宙まで広がる超カバレッジなどが可能とされている。

各国はこの６Ｇの開発に取り組み始めており、中国においては、２０１９年に「国家６Ｇ技術研究推進事業組」およびこれを推進する組織母体「全体専門家組」を立ち上げ、事業をスタートさせている。一方、日本の取り組み方は相変わらず遅く、情報通信研究機構（ＮＩＣＴ）が22年をめどにやっと官民の研究を立ち上げる予定にすぎない。

このような姿勢は対中認識の薄さから中国の研究情勢を見逃がしたためでもあり、ここにも、中国技術開発情勢の早期把握の必要性が浮かび上がる。

ゲノム編集技術国際特許件数（75）：8件と484件

ゲノム編集技術は医学や創薬、農業界で注目の集まっている分野だ。技術を応用できる分野のすそ野は広く、方法論や実用化の総合的観点から現在最も進んでいる国は中国に次いでアメリカ、日本、ヨーロッパ、韓国であろう。研究は2000年代に入ると加速し、研究体制の整備や特許権出願件数などの点で中国が世界のトップに躍り出た。世界的な競争が激しく、勝負に勝つか負けるかは今後の国力にも影響する分野の1つとも言える。

ゲノム編集技術で最初に世間の注目を集めるようになったのは、CRISPR（クリスパー）だ。CRISPR/Cas9という言葉を一度は聞いたことがある人も多いのではないだろうか。2010年代の終わり頃には、CRISPR/Cas10やCRISPR/Cas14といったさらにブラッシュアップされた技術も登場した。

そして、先鞭をつけたのがやはり中国である。これらを使った研究成果が特許権登録され始めたのだ。例えば、「CRISPR/Cas12a技術に基づくリンゴ茎溝《けいこう》ウイルス視覚的検出システムおよび検出方法」や「CRISPR/Cas13を使ったウイルス耐性サツマイモの育種方法」（中国国家知識産権局）は専門の研究所の手によるものだ（JST「サイエンスポータルアジアパシフィック」の筆者コラムなどを参照）。これらを含むCRISPR技術の特許権出願件数は農業や食品関連だけで484件（2021年6月時点）に達し、ほとんどが中国国内居住者の出願である。これに医学関係を加えると、1000件にも迫ると推測される。

一方、日本でもCRISPR技術を用いて作成された高血圧対応トマト（GABAトマト）や肉厚の鯛、天然毒素を減らしたジャガイモなどが新聞をにぎわしたことがある。ただ、日本の特許庁のデータベースによれば、日本のCRISPR関連の特許出願と登録件数は226件（全分野合計）。うち国内居住者からの出願は8件止まりだ。大部分がアメリカなど、海外からの出願が占めているのである。

日本は研究資金の不足を嘆くばかりではなく、この方面の世界的権威である中国の研究機関や大学へ留学し、謙虚な姿勢で学ぶことも考えなければならないだろう。ゲノム編集技術の研究機関のトップには中国科学院や中国農業科学院があり、その傘下には、多数のゲノム専門研究機関や大学がひしめいている。虎穴に入らずんば虎子を得ずだ。

スーパーコンピュータ所有台数（28）：量子コンピュータ開発がカギ

スーパーコンピュータとは、定義によると、パソコンの1000倍以上の演算速度を持つコンピュータをいう。毎年、世界最速のコンピュータとその国別保有台数をリスト化する

「トップ500」によれば、2021年6月時点の台数は中国が最多の186台（世界の37・2％）で、日本はアメリカの123台に次ぐ34台（6・8％）だった。

スパコンの性能を測る重要な指標にはCores（CPU内部に内蔵されたプロセッサコアの数で、多いほど優れている）がある。中国はその合計値が2987万2220で、日本はスパコンの保有台数と同じく、アメリカの1777万2560に次ぐ1137万3708だ。

一方、1台当たりのCoresを比較すると、中国は15万8895であるのに対して、アメリカは14万5677、日本は33万4521ほど。日本のスパコンは、中国とアメリカの2倍以上のCoresを持っているのである。

その最大の要因はなんといっても、Coresが53万7212である富岳をはじめとして、日本のスパコン全体の性能が高いことにあるだろう。参考までに他国のスパコンのCoresを紹介すると、アメリカのサミットが20万785で第2位、中国のサンウェイは12万5436で世界第4位だ。このように日本は性能の高いものを少数、中国はそこそこの性能のものを数多くと基本姿勢が分かれており、これは国土面積と研究施設の分散状況を反映している。日本の基本姿勢は一点豪華主義、中国は全身装飾主義と言えよう。

問題は、中国が先行する量子コンピュータの開発と実用化だ。日本も開発競争の軸足を古典的コンピュータから転換して、量子コンピュータへ移す大きな戦略を考えなくてはならない。実際、政府は量子コンピュータ開発のため「理研量子コンピュータ研究センター」の発足などでこの課題に取り組んでいる。ただ、そこにはＩＢＭやグーグルとの競争しか念頭にないかのような印象を受け、もっと中国の世界先端の開発の現状を研究し続ける姿勢を求めたい。

第４世代半導体開発（73）：次世代素材のガリウム確保へ

半導体業界では第４世代半導体を制する者が、21世紀の先端技術を制するといわれる。日本は第1世代で敗北し、第2世代で中国に水をあけられた。20世紀末には、世界の半分を占めていた「日の丸半導体」のシェアも、21世紀も5分の1が過ぎた時点で、低性能の半導体でもって10％程度を占めるにすぎないまでに凋落している。

そんな状況の中、日本は産官学が一体となって再生の道を手探りしている。経済産業省の「半導体戦略（概略）」（２０２１年6月）には、焦る気持ちがどのページにも滲む。幸いにも日本には、東京エレクトロンや日立ハイテクといった、なお世界のトップクラスのシェアを誇る半導体製造装置産業があり、半導体産業において互いの立ち位置を熟知する日米は、共同で中国に対抗することも合意した。

中国に対抗するには、前述のグローバルなプラットフォーム形成に加え、この虎の子の技術とアメリカの半導体製造技術や設計技術を合体する以外に道はないのではないか。集積回路の密度を高めるための2ナノや1ナノ、さらにはサブナノ（1ナノ未満）を製造できる可能性があればさらに強みが増すだろう。

そして、第4世代半導体の製造のためにもう1つ忘れていけないのは、半導体素材の進歩だ。

半導体の性能を計る「バリガ性能指数」というものがあるが、これはシリコンを1とすると炭化ケイ素340、窒化ガリウム870であり、さらに第4世代の素材として注目される酸化ガリウムは3444にもなるという（情報通信研究機構）。そのため、世界ではこの酸化ガリウムを素材とする半導体の製造を目指しているのだ。日本では、村田製作所やFLOSFIA（京都大学のベンチャー企業）などが実用化を目指して研究を行っている。

中国はどうかというと、最も大きな成果を上げているのが北京ガリウム科学技術研究所であろう。中国では、前出の経済産業省「半導体戦略（概略）」などを含め、日本や他国の半導体技術水準なども非常によく調べており（例えば、陳祥「日本半導体の国家戦略とイノベーション分析」中国社会科学院、『現代日本経済』2021年5月号）、他国の状況も把握しながら研究開発に努めている。日本にもこうした競争相手国を研究する姿勢は半導体に限らず必要ではないだろうか。

また、第4世代半導体の製造において、日本のもう1つの課題は酸化ガリウムの元となるガリウムの確保だ。ガリウムは単体として自然界には存在せず、アルミニウム精錬などの副産物として産出され、世界の90％以上は中国が握っている。中国が国内で技術の開発に成功するか海外の技術を入手して、豊富な原材料を使い酸化ガリウムを製造、第4世代半導体の量産を始める可能性は捨て切れないだろう。

こうした状況の中で、日本が中国に対抗するには、日本式技術の発展とその死守およびガリウムに代わる素材開発を進めることだろう。まずは、アメリカなどと協力し、WTO規則に訴えてでも、中国産ガリウムを確保することから始めてはどうだろうか。

日本版GPSみちびき（76）：誰にも開かれたGPSに

2010年から20年6月までの約10年間で、中国は中国版GPS「北斗」のための運用衛星を37個打ち上げ、アメリカの31個、ロシアの26個をあっという間に抜き去った。すでにI oTさらにはIoEへの活用を図っており、例えば20年11月には、北斗の精密な位置情報を官民すべてのインフラにつなぎ、社会で起きているすべてを示す社会の心電図「崑崙鏡《こんろんきょう》」をつくろうとする壮大な取り組みを始めた。

一方、日本のGPS「みちびき」は、２０１０年９月に１号機が打ち上げられ、17年10月に４衛星体制が整ったことで、18年11月から運用が開始された。その目玉の１つは精度で、「みちびき」はアメリカのGPSとの連動により、センチメートル単位の測位精度を実現できるという。

こうした精度の高さゆえにみちびきの利用可能性は高い。ただ、決定的な遅れは一般市民がスマホやPCから無料で使えるサービスが提供されていないことだ。事務局に確認したところ、今後もこの方針に変更はないようで、利用範囲も日本を中心とする一部のアジア止まり。これからの課題はグーグル・アースや中国のバイドゥマップ（日本でも利用できる）を上回る精度を持ち、世界中で誰もが気軽に利用できる機能を開発することであろう。残念ながら、今のままでは巨額の税金が投入されているのに、市民への還元はないも等しい。

宇宙望遠鏡（77）：単独ではなく国際共同開発に

宇宙望遠鏡は地上に設置された望遠鏡に比べて、電磁波や大気の流れ、上空のチリや雲に邪魔されず、観測対象も数百キロメートル近くなるなど、観測を行う上で利点が多い。そんな宇宙望遠鏡で中国の「巡天」は、その性能の高さで世界の宇宙観測専門家をあっと驚かせた。

一方、日本の宇宙望遠鏡はX線天文衛星「すざく」であるが、打ち上げられたのは２００５年で15年に運用を終了した。そこで、16年２月に新たな宇宙望遠鏡である「ひとみ」が打ち上げられたが、残念なことに同年３月に故障したまま宇宙の藻屑と消えてしまった。

日本の宇宙技術の高さは、ＩＳＳの管理やＨ２Ａロケットや小惑星探査機「はやぶさ」などが実証済みであり国際的評価も高い。ただ、宇宙をめぐる国際間競争は日増しに激化する動きを強めており、中国の「巡天」に匹敵する宇宙望遠鏡の開発を含め、これから日本が単独で競争を勝ち進むのは限界があるかもしれない。だとすれば、日本に残された道は国際的共同開発者の一員として、実効力ある取り組みを進めることではないだろうか。

幸いにも、ハッブル宇宙望遠鏡の後継機であるジェイムズ・ウェッブ宇宙望遠鏡プロジェクトへの参加や、アメリカやカナダ、インド、中国と進める国際天文台の設立（ＴＭＴプロジェクト）など、中国に引き離されないために日本の打つ手はまだまだ開拓できそうである。

社会・文化分野

伝統武術連盟加盟国数（91）：柔道の輪をもっと広く

中国武術は太極拳やカンフーなど伝統の武術全体をカバーしており、その連盟加盟国・地域は156か国に及ぶ国際競技だ。アジアやヨーロッパ、アメリカなどに地域連盟があり、年に数回の地域あるいは世界競技大会を開催するなど、中国の伝統の一面を世界に広める役割を果たしている。一方、日本の伝統武術である柔道も世界に普及し、連盟加盟国・地域は201か国・地域に上るなど、日本の認知を広げる役割を果たしていると言えるだろう。

この2つの連盟を比較すると、柔道の方が世界的普及率は高いが、競技人口となると、女性および低年齢層の参加率や練習道場の確保などの点で後塵を拝しているようだ。中国武術は柔道と違って道場を必要とせず、年齢や性別にあまり関係なく普及・拡大を続けることができる。柔道もまた本来の姿を守りつつ、世界への普及をさらに進め、スポーツ性で勝る点で勝負してほしい。

国際発信言語別放送（8）：より多言語での放送へ

国家が国際的プレゼンスを高める方法の1つが、多言語による国際放送であることを中国は熟知しているようだ。世界に向けて、ラジオ・テレビが65の言語で放送している。筆者が生の中国と出会ったのも、中学生の頃にラジオ短波放送で「日本のみなさんこんばんは。こちらは北京放送です……」とはっきりとしたきれいな日本語で聞いたのが最初である。

一方、日本の国際放送はNHKの子会社「日本国際放送」が担うが、その外国言語数は17でテレビ放送にいたっては英語のみである。英語は国際言語だが、国際放送が英語だけでよいはずはないであろう。総務省の調査によれば、NHKワールド（英語）を視聴したことのある国民はイギリスで4・5％（中国のCCTVは16・2％）、ニューヨークで4・6％（同12・9％）、バンコクで8・2％（同14・4％）と低調で、NHKが勝っているのは韓国とトルコにとどまるようだ。

国際放送の意義が、日本をPRすることにあるとすれば、現状は中国に比べあまりにも見劣りする。日本の国際放送言語は、最低、東南アジアの大部分の言語、日本との関係が重要なイタリア語、ドイツ語、オランダ語、パンジャーブ語、タミル語、トルコ語、ウクライナ語、そしてポーランド語、ハンガリー語などの言語を含むべきであろう。

在外大使館数（14）：小国も日本の味方に

日本が大使館を設置していない国は２０１８年時点で42か国。そのうちアフリカ19か国、次いで中南米10か国、ヨーロッパ７か国などである。

なぜ日本は42もの国に大使館を置いていないのか。

それは大使館を置くほどの人口規模でなく、邦人在留人口も少数、相手国が日本に大使館を置いていないことが主な理由と説明されている。大使館を置いていないブータンやキリバスなどは、隣国のインドやフィジーの大使館が管轄しているという。中国の場合、日本の１５３か国よりも16か国多く大使館を設置しているが、その理由は世界中に多数の華僑や一時滞在者が分散していることが考えられる。

しかし大使館は相手国との友好関係の構築や発展、日本文化の啓蒙、産業や貿易関係の充実にとって重要な役割を持つ。相手国に好かれる大使館業務の質的充実も大事だが、可能な限り多くの数を設置する方がよいのではないだろうか。

第10章　日本が存在感を示し続けるために

第9章では各分野で中国と日本の現状を俯瞰しながら、それぞれの対策や目標を考えてきた。第9章ではそこからさらに大きな視点で、少なくとも100分野で世界制覇の座に腰を下ろしたもしくは下ろすだろう中国に、日本がどうすべきかを考えていく。

日本のこの対応には2つの顔が求められると思う。1つはいうまでもなく中国にどう対応すべきなのかという顔であり、もう1つは日本が自分自身にどう向き合うかという顔である。2022年2月には、アメリカが全身全霊をかけた「インド太平洋戦略」という日本を自陣営の主軸とする対中競争戦略の枠組みを発表したが、本書では日本がアメリカに命運を託すような姿勢ではなく、独自の生き方を模索するべきという姿勢で考えていく。

あらためるべき対中認識

敵視するような対中認識を封印

日本人の様々な対中認識や世論調査が示すように、日本と中国の関係が良好だとする割合は20％もなく、日本人の80～90％、そして中国人の60～70％は否定的だ（言論ＮＰＯ「日中共同世論調査」など）。ただ、この数字は日中間の領土問題や歴史問題が表面化するたびに悪化し、かと思えば首脳の相互訪問などが話題になるたびに好転するなど、気まぐれな一面もある。日中ともに何が最良の関係なのか一致点が見出されていないのだ。

そこで、日中関係を構築していく上で重要な対中意識、つまりは日本の中国との向き合い方に関して、まずはどういった意識を持つことが望ましいか考えてみたい。

少なからぬ日本人は、中国に対して漠然とした敵視意識を持っている。この意識は、真の中国を見誤らせる危険がある。そのような目で見ている間に、中国は日本を引き離してどんどん先を行く。

また、「中国」と「中国人」を一括りするのもどうかと思う。両者は一見すると一体のように見えるが、実際はかなり違う。中国国家は「建前」を重視し、中国人は「本音」をより重視する、ということを念頭におくべきである。個人的な例で申し訳ないが、筆者が交流してきた様々な世代の中国人の大部分は、日本の民間人に対して本音で接し、そして反日的ではない。読者の皆さんにも似たような体験はあるのではないだろうか。

最後に、現実の中国との接し方は様々だろうが、以前と異なり、中国を大都市文化を持つ科学技術先進国として再認識することもお勧めする。

新中国の成立以降、日本との関係が濃厚になるにつれ、中国はあらゆる産業、医学、医療、教育、研究とほぼ全領域にわたって、日本との交流を深めた。多くの国費・私費留学生が日本に渡ったのである。この点は『日中科学技術交流の歩み』（ＪＳＴ、２０１３年）に詳しい。そして、現在も、中国が欲しがる日本の技術は山ほどある。自然科学系の留学生や職場間の技術交流員の日本留学意欲も衰えていない。中国はここまで発展しようとも、日本から学ぶ姿勢を崩してはいないのである。

ひるがえって日本はどうだろうか。まだ中国は発展が遅れており、自分たちは教える立場にあるという意識が心のどこかにないだろうか。確かにそういう部分は否定できないが、現代の中国には日本の学びになる宝もあるのだと、謙虚に対中姿勢を変える時がきたのではないかと思う。

“日本嫌いな中国人”という幻想

日本人の多くは、中国人が日本人嫌いだと思っていると思いこんでいる。反日暴動や日中対立のニュースが流れると、一段とこの思いこみは濃厚になる。しかし、これも日本人が変えるべき認識の1つではないかと思う。

確かに、抗日戦争についてのテレビや映画、さらには全国の教育現場で全学級一斉に始められる反日運動教育には、中国の学生に反日意識をもたせる効果がないわけではなかろう。中国全土に設けられた抗日戦争記念館についても、数か所を回った筆者の体験からすれば、日本の侵略行為に関する展示（蝋人形・文物・映像・音声・戦場再現セットなど）には、虚実混ざって誇張されたものがないわけでもない。反日感情を煽るには十分とさえ言える。

にもかかわらず、年間の訪日者数約3100万人のうち、25%を超える800万人（2018年）が中国本土からの旅行者である。これは、日本の本当の姿を知りたいという欲求がある証拠ではないだろうか。日本が心から嫌いなら来るはずもあるまい。

さらには、なぜ中国の大都会で日本の商店街や飲食店通りに似せた街づくりが流行っているのか。なぜ日本のアニメやコスプレ、刺身や寿司、牛丼やすき焼き、さらには日本式のコンビニが日本独自のものだと分かっていて流行るのだろうか。

筆者には中国人の多くが、政府の反日誘導的な政策はあくまで政策であり、自分は自分という分別を対日行動の基軸に置いているからであるように思える。大部分の中国人は日本人を嫌っているというのは、日本人の一方的な幻想ではなかろうか。

また、これらとは違った次元のことだが、なぜ北方領土が中国の公的地図では日本領土として描かれているのか？　これには様々な思惑があるだろうが、アメリカやロシア抜きの日本は敵国ではないと、中国がみなしているメッセージの1つであるようにも思える。

私たちはどう変わっていくべきか

日本人が自分自身とどう向き合うべきかについても考えてみよう。ここでは思い切って、中国と対抗するためにという視点だけでなく、このままでは凋落の一途を辿りそうな日本をどうするかという点からも、日本が自身とどう向き合うべきなのか考えを巡らせてみたい。今ほど、こうしたことを考える必要性に迫られている時はないだろう。

まずは中国がこれから、どんな姿勢で国家のかじ取りをしていこうとしているのか整理したい。どんな関係を構築することになっても、中国のこれからを見通すことは、日本の身の振り方を考える上で重要である。

中国には、習近平主席の考え方の下で「共産主義の理想と社会主義の信念」（中国共産党『歴史決議』２０２１年）を追求するという原則に立って、対内・対外的に統制を強める可能性が高いという認識が必要だろう。つまり何事につけ、中国はこれまで以上に、日本に対しても安易な妥協をしない、強い姿勢を前面に出す向き合い方をしてくるだろうということである。

そして、いずれ習近平主席が退いてからもその姿勢は変わることなく、２０５０年を迎えようとするはずだ。中国が規定する社会主義初級段階を終える時期はいつなのか、中国自身もあいまいだが、その発展的社会とする共産主義を自認するに至るまでは、決して統制の手を緩めることはありえまい。

ただし、共産党政権が生き延びるために、国内的には、様々な変革あるいはありえないと思われた策を断行する可能性は否定できない。１９７８年の改革開放や農地制度の大転換、社会主義市場経済への転向、固定資産税制への前向きな姿勢もその典型的変革だったし、今後、さらに大きな変革を起こすこともありえよう。それらは、これまで通りご都合主義的で融通無碍《ゆうずうむげ》であるはずだ。

以上が、これから中国が歩むだろうざっくりとした道筋だ。こうした前提を基に、日本がどう変わっていけばよいかを考えていこう。相手に応じてこちらも変わらなければなるまい。話をより分かりやすくするために、①国家的取り組み、②企業的取り組み、③個人的取り組みに分けて整理していくとしよう。

国家的取り組み――取り戻すメイド・イン・ジャパン――

パートナー国との連携

日本が中国と対抗しあるいは独自の道を進むにしても、先端技術発展のための教育や訓練環境の整備は不可欠だろう。それができないなら、日本に勝る海外への派遣留学や海外研修機会の増加策、それで不足ならば中国に飛び込むくらいの気概を持つことだ。

前述の通り中国はもはや日本の格下などではなく、その関係性はむしろ逆転しつつあることを素直に自覚すべきであろう。さらに、日本は単独主義姿勢を転換することも必要である。

図表10-1　各分野で技術提携できるであろうパートナー候補国

分野	パートナー国	最大競争国
半導体	アメリカ、韓国	中国
人工知能	アメリカ、韓国、ドイツ(EU)	中国
デジタル技術	アメリカ、インド	中国
5G・6G	フィンランド、韓国	中国
次世代自動車	アメリカ、ドイツ	中国
GPS	アメリカ、ドイツ、インド	中国
ビッグデータ	アメリカ	中国
ゲノム編集	アメリカ、韓国、ドイツ(EU)	中国
ロボット	アメリカ	中国
宇宙開発	アメリカ、EU	中国
宇宙望遠鏡	アメリカ	中国
新型兵器	アメリカ、イギリス	中国、ロシア

各種資料を参考に筆者作成

例えば、先端分野に関しては分野ごとにパートナー国と共同で対処することを真剣に検討すべきである。図表10-1は分野ごとに技術的な強みを持つ国を整理したものであり、つまりは日本のパートナー国となりえる国をまとめたリストである。リストにある国々も、日本と同様に単独で中国と渡り合うことの困難さは知っているはずだ。

この中には、フィンランドやアメリカなど、実際に連携ができかかっている分野もある。この2か国以外で、有力な連携国となりうるのは韓国やドイツ、イギリス、インドなどだろう。同表にある日本のパートナーとなりうるすべての国にとっても、競争相手国はやはり中国である。

日本の製造業の存在感を高めるために

日本にメイド・イン・ジャパンの製品を取り戻すことは、国家最大の課題ではないだろうか。もちろん、そのためには、それに見合うだけの企業や私たち自身の意識改革も必要である。

国家的レベルで取り組むべき最も大きな課題は、海外立地の工場を国内に呼び戻す、あるいは海外と並列する製造拠点の新設を進めることであろう。外務省『海外在留邦人数調査統計（平成30年要約版）』によると、海外で製造業を営む日系企業は約2万社あり、そのすべてが現地で工場を設置しているかどうかは不明だが、その半分でも日本に帰ってくるとすれば、メイド・イン・ジャパンは相当に増えるはずだ。

もちろん、ただ政府が企業に呼びかけただけでは一向に日本企業の回帰は進まないだろう。海外立地は企業の競争上の優位性を背景にしている。それは賃金水準や労働の質、原材料や製品のサプライチェーン、現地および海外消費市場へのアクセスの良さなど。こうした点から日本に戻るだけのメリットを示さなければならない。

こう見たとき、日本に中国のように工場群が集積する様子を想像することは残念ながら現実的ではない。しかし、あらゆる産業が一国に集中してしまうことがないのは、経済原則の教えるところでもある。

そこで、より付加価値が高く、製品の質や製法の難しさから外国企業には容易にまねできない産業を日本に呼び戻し、あるいは残ってもらう対策に注力する必要があるのではないだろうか。それらの需要は大きい。一例を挙げれば医療機器や放送機器、テレビカメラ、自動車部品、第4世代半導体、人工知能アーキテクチャ、半導体製造装置、高級ステンレス製のカトラリー、グローバルニッチ産業製品などである。

中でも、最近注目されているグローバルニッチ産業の多くは国内立地であり、様々な産業における中小規模企業の活躍が、日本でも十分に事業展開が可能なことを示している。ほかにも、経済産業省の「グローバルニッチトップ企業100選」に選出された企業の例は、海外に立地する企業・産業の日本回帰に参考となる点が少なくない。

さらに政府には、日本の製造業自体の減少を食い止めるために、投資減税や法人帰国減税、思い切った補助金などの措置を求めたい。2021年、世界136か国・地域の国際法人税率を最低15%とする合意ができたが、国内法で定める実効法人税率は約30%で、中国の25%、イギリスの19%、アメリカの26%と比べるとかなり高い（2021年時点）。日本に企業を呼び戻すためには、海外からUターンした企業の法人税率を一定の期間国際基準となる最低税率の15％にするなどの思い切った優遇措置が必要であろう。それに合わせた人材の確保策も重要で、官民一体となった総合的な産業帰国策を期待したい。

対日投資を寄せつけない原因

国内に日系企業を増やす政策だけでは、メイド・イン・ジャパンの復興対策としては限界があるだろう。海外からの対日直接投資（海外企業による企業合併、買収、工場新設・拡張、研究施設や営業所等の設置など）の大幅な増加策を講じることも必要である。

現在、海外からの対日直接投資は、前述の通り他国と比べて非常に少ない。主な対日投資国はアメリカやイギリス、香港、シンガポール、中国などで、１０００億円以上の投資を行う国数は非常に限られる。

さらに、ＵＮＣＴＡＤ（国連貿易開発会議）の調査は、海外の対日直接投資残高が国際的にも最低レベルであることを示している。例えば、国際指標の１つである投資残高のＧＤＰに対する比率を見ると、２０１９年の日本は４・４％であるのに対して、中国は12・４％、韓国は14・３％、シンガポールは４６８・３％（ＧＤＰの４・68倍）、タイは46・９％、アメリカは43・９％、イギリスは73・６％で、世界平均は41・８％なので、日本の低さが際立つ。

この傾向は長い間変わらず、1990年は日本の0・3％に対して世界平均は9・6％、2000年は日本の1・0％に対して世界平均は22・4％、2010年は日本の3・8％に対して世界平均は30・1％だった。

なぜ対日直接投資はずっと世界最低レベルなのだろうか。

政府関係者や業界関係者は、様々な理由を挙げている。それは実効法人税率が高い、人件費・オフィス賃料・輸送などのコスト高、言語の壁、閉鎖的市場、人材不足、制度的規制が強い、優遇措置のレベルが低い、資金調達が困難、外国人の生活環境未整備などだ。

しかし、これらは特に日本だけが劣っているとは言いがたい。欧米諸国や中国、シンガポール、韓国、東南アジア諸国、中南米、どこと比較しても日本の致命的な点は見当たらないのである。例えば、比べものにならないほど対内直接投資が多い中国やシンガポール、韓国で、日本に圧倒的に勝る社会インフラや政治の安定はあるだろうか。あるとすれば、法人税率や人件費、地価くらいのものだが、これも決定的な差とはいえないだろう。

だからこそ、思う。対日直接投資が少ない理由は日本人（企業・政府・自治体を含む）の内向き体質にこそ原因があるのではないだろうか。外国人が日本を敬遠するのではなく、日本人の方が外国企業を寄せつけない。外国語コンプレックスや習慣の違いによる恐怖、欧米への劣等感、アジアへの優越感が、海外の投資家に日本の異質感を強く印象づけ、深化させているのではないか。どの国もこんな日本に好んで投資したくなるとは思えない。

また、ＦＴＡといった地域経済協定や各国との投資協定の立ち遅れも大きな理由であろう。例えば、韓国の対内直接投資残高のＧＤＰ比は日本の３倍以上であるが、これは韓国が結ぶ中国やアメリカなどとの２国間ＦＴＡの効果が大きいと言われる。

想像してほしい。中国からすると、原産地規則（輸入の際にかける関税は物品の原産国にかけられるため、複数の国にまたがって生産・加工された物品に対して原産国がどこかを定めること）が適用されない限り、投資対象国の韓国で作ったものをアメリカに輸出する際には、米韓ＦＴＡの恩恵を受けて関税などが優遇される。一方、中国とアメリカも経済・貿易協定を結んでいることで、韓国も中国で作った製品をアメリカへ有利に輸出できるのだ。

この点の日本の立ち遅れを取り戻すには、まず自らの意識改革を進めることが肝要であろう。国会議員諸賢の勉強も必要だ。

企業的取り組み――国際性とノスタルジーの清算――

日本に合う企業ガバナンスで強い組織に

中国企業のガバナンスは冷徹で、完全なトップダウンもしくはトップが信任した役員にすべてを任す方式で企業運営がなされている。

だから、経営決断は早い。社員は辞令が出た直後から戦力として期待され、企業側は教育や研修によって長期的に社員を育てる方式はとらない。社員の愛社精神は乏しく、概して自分の能力に自信を持っているので、処遇や環境が気に入らなければ即刻退職する。このように中国企業の雇用関係は全くもってビジネスライクであり、社員間の優勝劣敗が企業成長の大きな源泉となっている。

では、良し悪しを別にしてこうした中国企業と競争するために日本企業に必要なことは何だろうか。

ソニーを再生させた平井一夫氏は、同僚と部下を非常に大切にし、社内の異見を尊重し、社員のボトムアップを社長が支援してさらなるやる気を起こさせる経営者だった。これはトップダウン式の中国とは真逆のやり方だが、日本ではボトムアップをトップが支援する経営方式の方が適している例証とも言えるだろう。

例えば、中国式の経営により様々な形での個人契約（非正規労働など）が普遍化すると、優秀な人材はどこの企業でも長続きせず、人的資本の集積や集団的エネルギーが削がれて、結局は企業の実力も崩れゆくことになる可能性が考えられる。

ここ数十年の日本企業一般の経験を踏まえるならば、狭き門を経た終身雇用制を原則として、社員の専門職化を軸に、賃金や役職を競争的に定める方式こそが日本型経営の強みであり、中国企業に対抗しうる最良の方式ではないだろうか。

国籍関係なく働きやすい職場に

次に指摘したい点は、業種を問わず日本企業はもっと豊かな国際性を持つ必要があるということである。国際性を持つとは多面的な要素に及ぶことだが、どの企業や社会人でもやろうと思えばできる日常的なこととして、①外国語会話のできる人材を揃える、②社員にできるだけ多くの海外経験を積ませる、③外国籍の人物を特別視せずに違いを受け入れる（欧米への劣等感はまだ各界に残る）、④日本人たる誇りを持つことは大事だが海外では特別の存在ではないことを自認する、⑤豊富な話題と会話力を磨く（海外では特に外向性と積極性）、⑥付き合いのある相手国の常識的な歴史、文化、地理などを知っておくことを挙げたい。

サービス業であろうと製造業であろうと、今や海外市場や海外サプライチェーンと無縁な業種は神社仏閣および葬儀業界くらいのものだ。海外と関わらずに経営を続けていくことは難しい。だからこそ、「何でも日本で」という日本単独主義的な発想からは抜け出し、「日本から世界へ。世界から日本へ」という発想に切り換えることが必要であろう。

楽天本社では外国人社員が多数勤務し、日本人社員の会話も英語だと聞く。これは海外へそのまま移転できる国際性の高さだ。業種自体が越境を自然とする企業ということもあろうが、国際性の先端を行く企業と言えるだろう。

日本で仕事を探す留学生にもっと光を当てることも大事だろう。彼らのほとんどは質的にも人間性にも問題はなく、日本企業で働く意欲を持つ者も少なくない。彼らを正当に評価し、条件が合えば企業の仲間とすべきであろう。

ある企業の採用担当者は、長期的な人材育成を図ろうにも留学生や外国人は長くて5年程度で退職するケースが多いために、採用率が低くなると言っていた。しかし、彼らが辞めるのにはそれなりの理由があるはずで、筆者が教育に関わった相当数の中国人留学生がほぼ共通して口にすることは、やはり日本社会の閉鎖性と日本人が気づかない中国人への差別意識であった。

欧米出身者を経営の中枢に据えただけで、企業が直ちに国際性を持てるわけではないし失敗例も少なくない。社員全体が国際性を持つことがなければ、ただの看板倒れなのである。

専門職の重要性

欧米では、どんな専門性を持っていて、それにどのくらいのキャリアを積んでいるかという点が労働評価の基準にされるという。他方、日本の転職希望者の場合は在籍していた企業を評価の基準とする傾向が強く、専門性は二の次にされる傾向がある。

どちらの人材が、これから必要になるであろうか。筆者自身は、欧米企業が重視しているように専門性を持つ人材だと考える。この専門性とは知識に限ったことではなく、長い修練で身につけた技術や技能も当てはまる。

技術や製品を構成する部品や市場や流通、情報が、複雑化さらには国際化する現代、専門性を備えたスペシャリストとしての知見と経験がなければ、国際舞台で外国企業と渡り合っていくことは難しいだろう。

そこで、こうした考えの下、経営者は人事において、社員の能力や向き不向きを考慮することはもちろん、中途採用などを通じた専門職の確保策を講じるべきではないか。

そして、社員の側も国際舞台で通用するようになるため、社内の様々な組織や業務を体験させてジェネラリストを育てようとするのが日本型の育成であることを認識して、少しでも会社に染まらない意識を持つことが必要だろう。専門性を身につけるためには、まずそうした意識が必要になる。

ノスタルジーの清算

これから世界で戦って生き残っていく上で、日本企業は過去の成功事例やこれまで大切に守ってきたものなど、一種のノスタルジーを清算しなければいけないのではないだろうか。

２０２１年、日本自動車工業会の豊田章男会長は記者会見の席上で、30年度までに温室効果ガスを13年比で実質46％削減するための１００％ＥＶ化に関して危惧を表明した（『時事通信』２０２１年９月９日）。日本のクルマ業界５５０万人の雇用が消えるとしたのである。だから、ガソリン車も相当の割合で残すべきだと言いたそうだった。トヨタはその後、２０３５年までに全車種のＥＶ化を公表した。他の日本車メーカーも追随、ガソリン車は意外に早く市場から消える可能性が出てきた。

自社のことを優先し社会的な問題などは二の次というのが日本の企業経営者一般のイメージだが、豊田氏の姿勢は、このような企業経営者のイメージからかけ離れた苦渋が滲み出たものだ。業界指導者としての氏のような姿勢は、これまでも大きな産業構造の転換が起こるたびに見られた光景だ。石炭や繊維、鉄鋼、造船、半導体、家電、航空業界、みなそうだった。確かに550万人の雇用を維持しようとすれば、その代わりに日本のクルマ業界全体が国際競争力を失い、規模が大幅に縮小する恐れがある。

企業や経営者にとっては、とても決断しづらいことであるのは確かだろう。ただ、世界の変化に対応するためにも、ここでは今までの成功体験や守ってきたものを手放し、社員に対しては国と業界が連携することで職場転換や配置転換、さらには転職支援など責任ある対応を行う以外にはなかろう。これはクルマ業界に限らず、ほかの業界でも言えることである。

個人的取り組み―情報化社会で生き抜くために―

国際性豊かに

企業的取り組みでも取り上げたが、国際性豊かな人に変わっていくことが今ほど求められる時代はないだろう。

半導体ファウンドリが成功した台湾の総統である蔡英文《さいえいぶん》氏は、船橋洋一氏のインタビューで、（半導体を念頭に）一流の産業に一流の人材は欠かせず、デジタルスキル、語学能力、国際的視野の３つが重点だと答えている（『文藝春秋』２０２１年９月号）。

国際性の第一歩は自明ではあるが、外国人と接する際に①気後れしない（反対に根拠のない優越感を持たない）、②普段と同じ心理と態度を保つ、③相手が外国人であることを意識しない、④外国語会話能力を持つことであろう。言語だけでなく、コミュニケーション相手の国について、文化や社会といった言語以外の知識や経験を身につけておくことも有効だ。

日本人の姿勢が対アジアと対欧米とで異なることは、悲しいことに両方から熟知されている。日本人の中には、欧米出身の人と初対面の際に平身低頭の姿勢で臨む人がいるが、これでは国際性が豊かであるとは言いがたい。特に中国人はそんな日本人の性格や態度を見抜き、それを自分に有利になるように逆手を取り、欧米出身の人も対日交渉を有利な方向へ誘導していく。

真実の情報収集の名手に：中国より有利な環境を生かす

情報化社会といわれて久しい現代。これまでにも述べた通り、インターネットの発展とともにその情報量は際限なく増えており、そうしたビッグデータを収集して解析することで新たな価値のある情報も生まれている。顧客の購入データの解析による効果的なマーケティング方法の創出や、翻訳ツールの性能向上などがその一例だ。他にも様々な分野でデータの活用方法が研究されている。

そうした状況の中で重要視されているのが、データサイエンスだ。その専門的な人材育成の必要性は高まっている（樋口知之「データ・サイエンティストがビッグデータで私たちの未来を創る」『情報管理』2013年4月）。実際に、大学ではデータサイエンス学部の新設など、専門人材を養成するためのカリキュラムも広まりつつある。

もちろん、このデータサイエンスを行うには専門的な知識が必要となり、誰もが一朝一夕で身につけられるものではない。ただ、ここまで情報が溢れる社会の中で適切な情報を入手できる力は身につけるべきではないだろうか。

特に便利なインターネットには国境がなく情報の種類も多様だ。当たり前のことではあるが、どんなキーワードが目的の情報を見つけるために必要か。精度の高い情報を得るにはどのようなページを参考にすればよいのか。検索機能は検索エンジン次第だが、誰にも平等なサービスが提供されており、検索能力の高低が成果を左右するのである。

そして、中国と関連して注目すべきは、かの国ではグーグルやヤフーなどは使用禁止となっており、使える検索エンジンはバイドゥしかないことである。様々な検索エンジンを使える日本は、インターネットでの情報収集において大きなアドバンテージがあるのである。これから中国と競争していく上でこのアドバンテージを活かさない手はないだろう。

おわりに

中国関連の書籍はかなりの数が出版されている。純粋な研究書は別として、日ごろ書店やネットで目にする本の中には、実証的根拠に乏しいものや、日本と中国のいずれかの側に偏って情緒的感情への訴えだけで埋め尽くされているものもある。

そこで、本書はできるだけ客観的なデータを用いてほぼ100分野で世界制覇を成し遂げた中国の現状を描き出し、そんな中国に対する日本のあり方を示すことを目指した。日本を擁護し、中国を非難するような見方は避けたつもりだ。読者諸氏の意に沿わない点も多々あるかもしれないが、100分野の現実は動かしようがなく、それを知っていただけるだけでも本書は一定の役割を果たせたのではないかと思う（一方で、中国の強さを描きながら、その弱さも見えたことは私にとって副産物であった）。自分自身の中では、目を覆うばかりの日本のふがいなさを直視して、いかに再起を図るかを考察した日本論と位置づけている。

客観的なデータで示そうとしたことで数字が頻繁に顔を出し、やや読みづらいと感じられるかもしれない。また、本書のタイムスパンは中国（中華人民共和国）が成立100年を迎える2049年までで、時事的内容ばかりにならないよう一過性のデータを最小限に抑えたことで、逆に示すべきデータを欠くことにもなっているかもしれない。

この2つの点については読者諸氏のご理解とご寛恕をいただければ幸いである。

＊　＊　＊

光文社新書編集部の河合健太郎さんから、「ぜひ一緒に、この本の出版の編集をやらせて下さい！」という嬉しいメールをいただいた後、東京駅地下街のある喫茶店で打ち合わせの機会を持っていただいた。

氏は私の下書きをお読みになり、最初に中米対立の決着の様子、次にその背景やエビデンス、最後に中国の世界制覇という劇的な変化に日本はどう対応すべきかという構図にすべきではないかと、まことに的確なご指摘を下さった。その後も、いくどか軌道修正に近いご助言をいただいた。出来上がってみると、多少のずれはあるが、本書はやはり大体そのような構図に仕上がっている。

本書がこうして上梓できたのは、河合さんのご助言ときめ細かな編集のおかげであり、同時に光文社新書編集部のおかげである。ここに厚く感謝申し上げる次第である。

2021年2月

著者

図表：デザイン・プレイス・デマンド

高橋五郎（たかはしごろう）

1948年新潟県生まれ。千葉大学大学院博士課程修了（農学博士）。中国経済経営学会第3代会長（現・名誉会員）。現在、愛知大学名誉教授・愛知大学国際中国学研究センター（ICCS）フェローを務める。専門は中国経済、とくに農村経済問題。毎年、計2カ月ほど中国に滞在する。主な著書に『中国土地私有化論の研究』『海外進出する中国経済』（後者は編著。以上、日本評論社）、『デジタル食品の恐怖』（新潮新書）、『日中食品汚染』（文春新書）など。

中国《ちゅうごく》が世界《せかい》を牛耳《ぎゅうじ》る100の分野《ぶんや》
日本《にほん》はどう対応《たいおう》すべきか

2022年3月30日初版1刷発行

著　者 ── 高橋五郎
発行者 ── 田邉浩司
装　幀 ── アラン・チャン
印刷所 ── 萩原印刷
製本所 ── ナショナル製本
発行所 ── 株式会社光文社
東京都文京区音羽1-16-6（〒112-8011）
https://www.kobunsha.com/
電　話 ── 編集部03（5395）8289　書籍販売部03（5395）8116
業務部03（5395）8125
メール ── sinsyo@kobunsha.com

ISBN 978-4-334-04595-1

1157
脳の寿命を延ばす「脳エネルギー」革命
ブドウ糖神話の崩壊とケトン体の奇跡

佐藤拓己

巨大で大食漢な働き者「脳細胞」を長持ちさせる助っ人とは!? ヒトの脳の発達を可能にしたエネルギーとしてケトン体に注目。認知症・うつを防ぎ健康にも役立つ栄養摂取法を考察する。

978-4-334-04564-7

1158
田舎暮らし~~読~~毒本

樋口明雄

田舎暮らしにスローライフは存在しない! 東京から自然豊かな地方に移住して20年の小説家が満を持して贈る、田舎暮らしのノウハウと闇。本書を読まずして移住するべからず!

978-4-334-04565-4

1159
知ってるつもり
「問題発見力」を高める「知識システム」の作り方

西林克彦

「わからない」を見つけるために「きっちりわからなくなる」には? ロングセラー『わかったつもり』刊行から16年。今最も求められる「問題発見力」を身につける方法を解説。

978-4-334-04566-1

1160
大下流国家
「オワコン日本」の現在地

三浦展

経済力の低下、人口縮小、ジェンダー格差、メディアの怠慢……この国はどこまで堕ちてゆくのか? 80万部超のヒット作『下流社会』から16年、最新データを基に再び日本を斬る。

978-4-334-04567-8

1161
名画の生まれるとき
美術の力Ⅱ

宮下規久朗

人間にとって必要不可欠な「美術の力」とは? 「名画の中の名画」から「美術鑑賞と美術館」「描かれたモチーフ」「信仰と政治」「死と鎮魂」まで。美術史家と読む、美術の本質に迫る55話。

978-4-334-04568-5

光文社新書

1167
毛
生命と進化の立役者
稲葉一男

えっ!? 脳の中の毛? ウイルスから守る毛? CO_2で止まる毛?「細胞の毛」研究三〇年のスペシャリストが、生き物や自然、そして私たちの命を支える驚くべきミクロの世界を綴る。

978-4-334-04574-6

1168
肥満・糖尿病の人はなぜ新型コロナに弱いのか
「糖質過剰」症候群Ⅱ
清水泰行

新型コロナのパンデミックや病状悪化の要因となると考えられる糖質の過剰摂取。本書では糖質過剰が新型コロナだけでなく数多《あまた》の疾患の原因となる理由を、最新研究を交え伝える。

978-4-334-04575-3

1169
人生を変えた韓国ドラマ 2016~2021
藤脇邦夫

「愛の不時着」「梨《イ》泰院《テウォン》クラス」「賢い医師生活」「イカゲーム」など世界を席巻するKコンテンツの一つとなった韓国ドラマ。その深い魅力を傑作80選とともに徹底解説!

978-4-334-04576-0

1170
不登校・ひきこもり急増
コロナショックの支援の現場から
杉浦孝宣+NPO法人高卒支援会

コロナ禍で不登校・ひきこもりの子どもたちは増えただけでなく、可視化されづらくなった。リアルとオンラインを駆使することで前よりもパワーアップした支援現場の知見を学ぶ。

978-4-334-04577-7

1171
保健所の「コロナ戦記」TOKYO2020-2021
関なおみ

'20~'21年にかけ、保健所と都庁の感染症対策部門の課長としてコロナ対策の第一線で指揮を執り続けた公衆衛生医師の記録。国立国際医療研究センター・大曲貴夫氏との対談も収録。

978-4-334-04578-4

1172
火星の歩き方
臼井寛裕
野口里奈
庄司大悟

気球でまわる火星一周の旅から、標高2万m超のオリンポス登山、自然の造形美あふれる極地ツアーまで。3人の研究者による、火星の魅力がとことん詰まったガイドブックの決定版！

978-4-334-04580-7

1173
JJとその時代
女のコは雑誌に何を夢見たのか
鈴木涼美

JJに象徴される雑誌は、なぜ多くの女性の心をとらえたのか。単なるファッション情報だけではない、女性が託したもの、夢見たものとは何か。雑誌の時代への限りない愛着をこめた挽歌。

978-4-334-04583-8

1174
〈問い〉から始めるアート思考
吉井仁実

「問い」は「答え」より大きな力を持つ。生きることは「問い」の模索である――。「目に見えないものを見る」には？　アートディレクターと考える、アイデア&イノベーションの育み方。

978-4-334-04581-4

1175
オリックスはなぜ優勝できたのか
苦闘と変革の25年
喜瀬雅則

下馬評を大きく覆し、2年連続最下位からのペナント制覇は、いかに成し遂げられたのか？　逆に、なぜかくも長き暗黒時代が続いたのか？　元番記者が豊富な取材で綴る。

978-4-334-04582-1

1176
ヘーゲル哲学に学ぶ考え抜く力
川瀬和也

哲学の基本スキルである「考え抜く力」は、同時に人生一〇〇年時代の「社会人基礎力」でもある。十九世紀ドイツのヘーゲル哲学が、二十一世紀のビジネスに〝効く〟理由とは？

978-4-334-04585-2

1177
田舎はいやらしい
地域活性化は本当に必要か？
花房尚作

「地域活性化は正しい」――これは都会に住む者の勝手な思い込みでは？　過疎地域在住12年の著者が、現地での調査やインタビューをもとに過疎地域の〝本音と建前〟を鋭く描き出す。

978-4-334-04588-3

1178
ルポ　座間9人殺害事件
被害者はなぜ引き寄せられたのか
渋井哲也

判決から1年――。わずか2カ月で9人が犠牲になった「座間9人殺害事件」はなぜ起きたのか。若者の生きづらさを長年取材してきた著者が、被害者の心情にも迫りながら再検証する。

978-4-334-04586-9

1179
メタバースとは何か
ネット上の「もう一つの世界」
岡嶋裕史

フェイスブックはなぜ「メタ（Ｍｅｔａ）」に社名変更したのか？　ＩＴのわかりやすい解説に定評のある著者が、話題の「メタバース」の基礎から未来の可能性までを語る。

978-4-334-04584-5

1180
「非会社員」の知られざる稼ぎ方
村田らむ

これまでにないジャンルに根を張って、長年自営で生活している人がいる。自分で敷いたレールの上にあるマネタイズ方法を、特殊分野で自営を続けるライター・村田らむが紡ぐ。

978-4-334-04587-6

1181
「廃炉」という幻想
福島第一原発、本当の物語
吉野実

増え続ける処理水、不可能に近いデブリ取り出し、行く先のない事故炉の廃棄物…なぜ国や東電は廃炉「できる」との幻想を広め続けるのか。長年の取材から「誰も触れない真実」に迫る。

978-4-334-04589-0

1182
サッカー店長の戦術入門
「ポジショナル」VS.「ストーミング」の未来
龍岡歩

ペップ、クロップ、ナーゲルスマン……。日々進化を続ける現代サッカーの行きつく先を、名将たちの知恵比べから読みとく。サッカー未経験、異色の戦術分析官による初の著書。

978-4-334-04590-6

1183
感染症としての文学と哲学
福嶋亮大

文学者や哲学者がいかに感染症＝病のイメージを自らの思考に取り入れてきたか。病とは人にとって何なのか。病気とともに生きてきた人間の一側面を鮮やかに切り取る病の文化史。

978-4-334-04591-3

1184
学校では学力が伸びない本当の理由
林純次

教育界のブラック化、教員の低レベル化、毒親の変異化、児童・生徒の二極化、カリキュラムのカオス化――8万部『残念な教員』著者による危機の教育論。より良い教育の実現のために。

978-4-334-04592-0

1185
歴史検証　なぜ日本の野党はダメなのか？
「自民党一強」を支える構造
倉山満

自民党の〝政権独占〟は「無能な野党」に支えられている――。民主政治の本来の姿とは何か。私たち有権者ができることは何か。政治を諦めないために憲政史家が歴史を遡って検証する。

978-4-334-04593-7

1186
鎌倉幕府と室町幕府
最新研究でわかった実像
山田徹　谷口雄太
木下竜馬　川口成人

従来の中世史の常識を覆す研究が次々と発表される昨今、新進気鋭の研究者四名が、最新の学説をまとめて二つの幕府の実像を明らかにする。すべての歴史愛好家注目の一冊。

978-4-334-04594-4

1187

中国が世界を牛耳る100の分野

日本はどう対応すべきか

高橋五郎

深まる米中対立。しかし、「一帯一路」をはじめ中国の現状を見れば、どちらが勝者かは一目瞭然だ。なぜここまで国力を伸ばせたのか。その源泉を中国研究40年の著者が明らかにする。

978-4-334-04595-1

1188

弱くても稼げます

シン・サッカークラブ経営論

小山淳　入山章栄
松田修一　阿久津聡

真に地域に密着し、安定と成長を実現する方程式はあるのか。サッカークラブを起ち上げ5年でJリーグ入りさせた起業家が、第一線の経営学者たちと語るスポーツ産業の未来地図。

978-4-334-04596-8

1189

「現代写真」の系譜

写真家たちの肉声から辿る

圓井義典

私たちはさまざまなジャンルの写真に囲まれて暮らしている。本書では「現代写真」に着目し、日本を代表する写真家たちが何を模索し、何を語ってきたのかを辿ることで流れを一望する。

978-4-334-04597-5

1190

ネットで故人の声を聴け

死にゆく人々の本音

古田雄介

故人が生前残したブログやHP、SNSからは死に際しての隠せぬ本音が見え隠れする。故人がインターネットに残した足跡とどう向き合うべきか？　15の事例から迫っていく。

978-4-334-04598-2

1191

女性自衛官

キャリア、自分らしさと任務遂行

上野友子
武石恵美子

「命を懸けてでもこの国を守る」と誓う傍ら、母親として家族も守る自衛官たちが見出した、究極のワークライフバランスとは？　女性自衛官の生の声にみる新・女性キャリア論。

978-4-334-04599-9